PETITS CLASSIQUES

LAROUSSE

Collection fondée par Félix Guirand, Agrégé des Lettres

L'illusion comique

CORNEILLE

comédie

Édition présentée,
annotée et commentée
par
Frédéric WEISS
Agrégé de Lettres modernes

www.petitsclassiques.com

SOMMAIRE

Avant d'aborder le texte

L'Illusion comique

CORNEILLE

© Larousse/HER, Paris, 1999 - ISBN 2-03-587739-3

Comment lire l'œuvre

Avant d'aborder le texte

L'Illusion comique

Genre : la pièce, nommée par l'auteur « comédie » dès 1639, s'apparente en réalité à une tragi-comédie.

Auteur : Corneille.

Structure : 5 actes. Cependant, de l'aveu même de Corneille, ils ne suivent guère la règle : ils sont de longueur, de ton et de sujet très divers.

Principaux personnages : Alcandre, Pridamant, Clindor, Isabelle, Lise, Matamore, Géronte, Adraste, Rosine. Il faut par ailleurs noter le double rôle de certains personnages, même si leur nouveau nom à l'acte V n'est pas dit sur scène : Clindor / Théagène ; Isabelle / Hippolyte ; Lise / Clarine.

Sujet : le principal sujet de la pièce est le théâtre lui-même, ce qui en fait une œuvre à la fois exceptionnelle dans le répertoire français et complexe dans sa construction. Les différentes sous-intrigues qu'elle contient présentent des sujets éloignés entre eux et cependant bien reliés par l'art « illusionniste » de Corneille. On peut ainsi distinguer : la quête d'un fils par son père ; la leçon de théâtre dispensée par Alcandre ; les péripéties amoureuses d'Isabelle et de Clindor ; la (fausse) fin tragique des héros égarés dans une histoire d'adultère.

Première représentation : on sait seulement que la pièce fut jouée durant la saison 1635-1636 au théâtre du Marais, à Paris. Corneille ne la publia qu'en 1639, et en remania le texte plusieurs fois. L'acteur Bellemore tenait à l'origine le rôle de Matamore, sans doute écrit pour lui. Le directeur, Mondory, jouait Clindor.

L'essor du théâtre

Dans ce monde contrasté et mouvant, le théâtre peu à peu s'impose comme un miroir indispensable, un lieu, sans doute de divertissement, mais de « réflexion » tout autant. Là encore, il est frappant de voir que les grandes transformations du théâtre en France interviennent dans les années 1630. Tout change. En premier lieu, le public de Paris : avant 1630, la fréquentation des spectacles était en majorité masculine et populaire. Après cette date, l'engouement saisit les classes supérieures, et les dames ne craignent plus de s'y rendre seules. Cependant, le théâtre demeure un espace unique de mixité sociale, où laquais, artisans, bourgeois et gens de qualité se côtoient. L'offre augmente elle aussi : Richelieu permet au théâtre du Marais de se sédentariser (1634). Certes, Paris ne compte que deux théâtres, l'Hôtel de Bourgogne et le Marais, tandis que Londres au même moment peut se targuer de posséder une dizaine de salles, mais c'est déjà un signe de succès. Même sous Louis XIV, après tout, il n'y aura jamais que trois théâtres à Paris. Cette pénurie de lieux est en partie compensée par les visites de troupes venues de province ou de l'étranger : par exemple les célèbres Italiens, généralement hébergés par la Cour elle-même. Dans l'ensemble, les années 1630 et les suivantes voient le retard de la France, en matière de théâtre, lentement se combler : en 1632, Richelieu fait bâtir au Palais-Cardinal (l'actuel Palais-Royal) le premier théâtre à l'italienne, réservé aux représentations officielles. Les deux salles publiques sont, elles, bien plus sommaires : de forme rectangulaire, la visibilité y est médiocre, et le parterre n'a pas de sièges. À la même époque commence à se répandre une pratique auparavant marginale sur les scènes parisiennes : celle du changement de décor entre les actes. Un peu plus tard (après 1640), l'usage du « rideau de scène » apparaît, c'est-à-dire l'habitude de baisser le rideau à la fin de chaque acte. On le voit, ce qui forme pour le spectateur moderne la syntaxe la plus rudimentaire de l'art de la mise en scène n'en est encore, au temps de Corneille, qu'à ses balbutiements. Mais désormais une dynamique se met en place, et le développement du théâtre se fait à partir de là de plus en plus rapide et manifeste.

Les derniers feux d'un genre : la tragi-comédie

Quel genre de pièces allait-on voir dans les années 1630 ? Disons-le d'emblée : le genre alors dominant, et qui connaît, avant la vague du « classicisme » déferlant, ses dernières heures de gloire, est la tragi-comédie, c'est-à-dire en termes classiques un type de théâtre apparemment hybride, mais qui a développé, en réalité, toute une série de critères originaux qui n'en font pas tant un « mélange des genres » qu'un genre à part entière. La tragi-comédie connaît une vogue particulière entre 1630 et 1635 : pendant ces cinq années, on écrit en France pas moins de trente-cinq de ces pièces. En 1634, à l'Hôtel de Bourgogne, on a joué soixante-neuf tragi-comédies contre seulement deux tragédies ! Autant dire qu'à l'époque tout ce qui n'est pas tragi-comique n'est pas, tout simplement. C'est dans ce contexte que Corneille compose *L'Illusion comique,* pièce de commande il est vrai, car le succès en était assuré et le jeune théâtre du Marais devait sans attendre contrebalancer la programmation de l'Hôtel concurrent. Mais le chef-d'œuvre de Corneille, qui pousse à l'extrême certaines caractéristiques de la tragi-comédie pour en donner une illustration inégalable, marque aussi, d'un certain côté, la fin d'un genre : bientôt la tragédie, précédemment boudée, rentre en grâce. Théorisée par les penseurs classiques, elle redevient après 1640 le genre théâtral par excellence. Il n'est pas étonnant, du reste, que Corneille s'y consacre exclusivement après la querelle du *Cid* : la tragédie était alors une friche à bonifier, et le dramaturge a bien dû sentir qu'il y avait dans ce domaine la possibilité d'une carrière sans doute plus brillante que dans les genres réputés alors « inférieurs ». Racine en marquera, dans les années 1660, l'apothéose ; mais Corneille en est le vrai instigateur, celui qui n'aura pas peu contribué à l'évolution du goût français, aspirant sans doute à la rigueur classique mais sans cesser d'être attaché à la liberté baroque. Dans *Clitandre* déjà (1634), ce subtil équilibre se révèle : Corneille donne une tragi-comédie qui tente de respecter la « règle des unités » (temps, lieu, action). Plus tard, avec *Le Cid*, c'est la formule inverse qu'il semble essayer : une tragédie à fin heureuse (bien plus qu'une vraie tragi-comédie) qui ne suit pas, cette fois, la règle des classiques. Il y a chez Corneille une figure de l'expérimentateur.

Mais qu'est-ce que la tragi-comédie ? Certes, les Latins employaient déjà le terme dans un sens toutefois proche du burlesque. Tout autre est le sens qu'on donne à ce mot au début du XVIIe siècle. Dans ses grandes lignes, la tragi-comédie française s'apparente aux grandes œuvres des théâtres étrangers alors dominants : ceux de l'Espagne (Lope de Vega, Tirso de Molina, puis Calderón) et ceux de l'Angleterre élisabéthaine (dont bien sûr Shakespeare). La référence espagnole est évidente dans la pièce de Corneille : Isabelle et Matamore portent un nom espagnol ; quant à l'Angleterre, l'allusion est elle aussi présente, puisque dans l'acte V, Clindor joue le rôle de Théagène, « seigneur anglais ». Il semble que ces notations attestent chez Corneille la volonté d'une synthèse la plus vaste possible entre les divers états existants du théâtre.

Quant aux caractères qui définissent la tragi-comédie et l'opposent radicalement à la tragédie classique, par exemple, ils tiennent à plusieurs aspects. Le sujet, tout d'abord, doit être « romanesque » : les péripéties se succèdent, sans grand souci de vraisemblance, et les personnages paraissent issus d'un roman picaresque ou d'une « pastorale ». L'intrigue tend à se faire pléthorique et à multiplier les situations « romanesques » : enlèvements, évasions, tentatives de meurtres, aventures galantes, trahisons, querelles, duels… On retrouve – à titre plus ou moins parodique – bon nombre de ces éléments dans *L'Illusion comique*. La règle des trois unités, par ailleurs, n'a pas cours dans une tragi-comédie : on passe aisément d'un pays à un autre ; l'action peut durer plusieurs jours, voire davantage ; diverses intrigues sont menées de concert. Enfin, passages comiques et tonalités tragiques paraissent alterner, dans une volonté de rendre la totalité de l'expérience humaine, sans tri ni parti pris, dans ses fluctuations et ses contrastes.

Vie	Œuvres
1606 Naissance à Rouen.	
1624 Licence en droit.	
1628 Charges administratives.	1629 *Mélite.*
	1631 *Clitandre.*
1634 Pensionné par Richelieu.	1634 *La Suivante.* 1635-1636 *Médée, L'Illusion comique.*
1637 Anoblissement des Corneille.	1637 *Le Cid.* 1640 *Horace, Cinna.*
1641 Mariage de Corneille.	1641 *Polyeucte.* 1642-1643 *Le Menteur, La Mort de Pompée.*

TABLEAU CHRONOLOGIQUE

ÉVÉNEMENTS CULTURELS ET ARTISTIQUES	ÉVÉNEMENTS HISTORIQUES ET POLITIQUES
	1606 Prise de possession du Canada.
1609 Lunette astronomique de Galilée.	
	1610 Assassinat d'Henri IV, régence de Marie de Médicis. Gouvernement de Concini.
1616 Mort de Shakespeare.	
	1617 Assassinat de Concini.
1623 Sorel, *Vraie Histoire comique de Francion.*	
	1624 Richelieu chef du Conseil du roi.
1625 Racan, *Les Bergeries.*	
1626 Bernin : baldaquin de Saint-Pierre.	**1626** Édit contre les duels.
	1628-1629 Siège de La Rochelle.
	1630 Journée des Dupes.
1633 Calderón, *La vie est un songe.*	
1635 Fondation de l'Académie française.	**1635** La France déclare la guerre à l'Espagne.
1637 Descartes, *Discours de la méthode.*	
1640 Jansénius, *Augustinus.* Poussin rentre à Paris.	
	1642 Mort de Richelieu.

VIE	ŒUVRES
	1645 *Rodogune.*
1647 Reçu à l'Académie française.	
1648 Quitte le théâtre du Marais pour l'Hôtel de Bourgogne.	
	1649 *Don Sanche d'Aragon.*
1650 Vend ses charges. Nommé pour un an procureur des États de Normandie.	
	1652-1656 Traduit l'*Imitation de Jésus-Christ.*
	1659 *Œdipe.*
	1660 Parution de ses *Œuvres* (avec les *Examens* et les *Trois discours sur l'art dramatique*).

ÉVÉNEMENTS CULTURELS ET ARTISTIQUES	ÉVÉNEMENTS HISTORIQUES ET POLITIQUES
	1643 Mort de Louis XIII, régence d'Anne d'Autriche, gouvernement de Mazarin.
1644 Pascal invente la machine à calculer.	
1645 Rotrou, *Le Véritable Saint Genest.*	
1647 Vaugelas, *Remarques sur la langue française.*	
	1648 Fin de la guerre de Trente Ans, début de la Fronde.
1649 Voiture, *Œuvres* (posthume).	**1649** Le Parlement se soumet.
	1650 Arrestation de Condé, Fronde des princes.
1651-1657 Scarron, *Le Roman comique.*	
	1653 Condamnation du jansénisme par Rome.
1654 Début de *Clélie,* de Mlle de Scudéry.	
1656 Vélasquez, *Les Ménines.*	
	1657 Alliance franco-anglaise.
1658 Vermeer, *Vue de Delft.*	
1659 Molière, *Les Précieuses ridicules.*	**1659** Paix des Pyrénées.
	1661 Mort de Mazarin, règne personnel de Louis XIV.

VIE	ŒUVRES
1662 Vient habiter Paris et est pensionné par Colbert.	
	1664 *Othon.*
1669 Anoblissement confirmé par le roi.	
	1670 *Tite et Bérénice.*
1674 Perd sa pension.	1674 *Suréna.*
1681 Tombe gravement malade.	
1684 Mort de Corneille.	

TABLEAU CHRONOLOGIQUE

ÉVÉNEMENTS CULTURELS ET ARTISTIQUES	ÉVÉNEMENTS HISTORIQUES ET POLITIQUES
	1662 Colbert contrôleur général des finances.
1665 Molière, *Dom Juan.*	
1667 Racine, *Andromaque.*	**1667** Guerre de Dévolution contre l'Espagne.
1668 La Fontaine, *Fables* (début). Molière, *L'Avare.*	
1670 Racine, *Bérénice.* Pascal, *Pensées.*	
	1672-1678 Guerre de Hollande (victoire de la France).
	1673 Affaire des poisons.
1674 Boileau, *Art poétique.*	
1677 Racine, *Phèdre.* Spinoza, *L'Éthique.*	
1678 Mme de Lafayette, *La Princesse de Clèves.*	
	1679 Disgrâce de Mme de Montespan.
1680 Fondation de la Comédie-Française.	
	1682 La Cour s'installe à Versailles.
	1685 Révocation de l'édit de Nantes.

GENÈSE DE L'ŒUVRE

Éclairer la genèse d'une œuvre qui se laisse qualifier, de l'aveu même de son auteur, de « monstrueuse » présente à la fois beaucoup d'intérêt et beaucoup de difficulté, car en vérité, c'est à plus d'un titre que *L'Illusion comique* est un monstre – sacré, sans doute, mais déroutant et unique. Dans son « Examen de 1660 », Corneille ne craint d'ailleurs pas d'en souligner la bizarrerie inimitable : « Les caprices de cette nature ne se hasardent qu'une fois, et quand l'original aurait passé pour merveilleux, la copie n'en peut jamais rien valoir. » Peu de pièces ont dû inspirer à Corneille autant de fierté rétrospective, et lorsqu'il déclare qu'il ne vaudrait rien à personne de vouloir l'imiter, il est loin de la sévérité qui lui fait noter, à propos de *Clitandre* : « J'entrepris de faire [une pièce] régulière, [...] mais qui ne vaudrait rien du tout : en quoi je réussis parfaitement. » Si, dans le cas de *L'Illusion comique,* c'est la copie, et non la pièce elle-même qui ne vaut rien du tout, n'est-ce pas parce que celle-ci est déjà une somme impressionnante d'autres copies ? C'est du reste ce que suggère le terme de « monstre », employé dès 1639 : être fabuleux créé par hybridation, inclassable, bâtard, bizarre. Qu'elle relève de la tératologie ou de la poétique, *L'Illusion comique* n'est pourtant pas seulement le fruit d'une « manipulation générique » hasardeuse : c'est au regard de la production même de Corneille qu'elle apparaît le plus visiblement comme une exception, bien plus que par rapport aux normes contemporaines – encore flexibles, du reste, en 1635 – qui délimitent les genres théâtraux. En étudier la formation implique de prendre en considération, avant tout, cette « perle irrégulière » dans le long chapelet des œuvres successives de Corneille. En effet, il est très délicat, si l'on part des « sources » supposées de *L'Illusion comique*, d'en débrouiller l'écheveau : on y trouve aussi bien des données génériques relevant de la tradition théâtrale (antique puis italienne) ; des références à l'Espagne et à sa culture dramatique ; des citations de pièces françaises (souvent adaptées, elles aussi, de lectures italiennes ou espagnoles) ; d'emprunts au roman ; d'allusions au théâtre anglais, enfin.

Le noyau dur : Matamore et Clindor

Nous sommes donc en 1635. Un nouvel acteur, Bellemore, vient d'être engagé par Mondory, directeur de la troupe du Marais, grâce à qui, depuis 1629, les premières pièces de Corneille ont été montées. Or ce Bellemore était « spécialisé » dans les rôles de guerrier fanfaron – ou, comme on disait alors, de « capitan ». C'est vraisemblablement de cet « emploi » de Bellemore qu'est née l'idée de *L'Illusion comique*, à un moment où le théâtre du Marais, tout juste rouvert, avait besoin de nouvelles pièces pour attirer le public qui s'était replié à l'Hôtel de Bourgogne. Au départ, Corneille n'a ainsi qu'un personnage, au demeurant celui dont le poids dans l'action est le moindre. Mais si Matamore agit peu, il parle beaucoup, et a déjà beaucoup fait parler de lui : l'auteur a donc trouvé un type préalablement construit.

D'où vient Matamore ? De la comédie grecque la plus ancienne. S'il ne nous reste plus aucune trace d'alors, on le retrouve du moins chez l'auteur latin Plaute, qui, dans son *Miles gloriosus,* l'a illustré sous le nom de Pyrgopolinice, accompagné d'un esclave parasite, Artotrogus, lointain ancêtre de Clindor. Le type du soldat vantard est passé ensuite dans la commedia dell'arte, où il s'appelle Capitan. On le retrouve également dans le célèbre roman de l'Arioste, *Roland furieux,* sous le nom de Rodomonte (d'où le nom commun « rodomontade »). En réalité, la figure italienne a rencontré, au début du XVIIe, son équivalent espagnol, le « tueur de Maures » : *Matamoros,* d'où Corneille a tiré le nom de son personnage. Cette rencontre a eu lieu en France. Même si Baïf, avec son « Taillebras » (1567), avait déjà transplanté sur le sol gaulois le type du fanfaron, c'est du contexte politique hostile à l'Espagne que la grande vogue des Matamores a surgi. Un recueil de « fanfaronnades », *Les*

Rodomontades espagnoles, paraît en 1607 à Paris. En 1627, il est réédité à Rouen : Corneille l'a connu, de même qu'il possédait un exemplaire de la pièce de Plaute. Même si le Matamore de Corneille est gascon, et non castillan, l'allusion est à l'époque lisible pour tous, et la satire de ce personnage de nature à servir, même indirectement, la politique étrangère de Richelieu.
Le personnage de Matamore supposait un acolyte : le rôle de Clindor s'impose de lui-même. Cependant, Corneille en a fait bien autre chose qu'un esclave, et l'a anobli. Clindor conserve pourtant bien des traits propres au « parasite » dont il est issu : il vit aux crochets du Gascon, arbore un passé picaresque (cette fois, la référence à l'Espagne est explicite), et se mêle à des aventures « comiques » – c'est-à-dire de style bas – si bien qu'Adraste le traite comme un vulgaire valet, et non comme le jeune gentilhomme qu'il est par ailleurs. Ce hiatus entre la naissance et la condition est un lieu commun des romans comiques, qu'on retrouve par exemple dans *La Vraie Histoire comique de Francion* (1623), de Charles Sorel. Avec ces deux personnages typiques, on est ici aux antipodes de la « comédie de mœurs » inventée par Corneille et pratiquée par lui entre *La Veuve* et *La Place royale* (1634). On a parfois expliqué cette bizarrerie par le fait que *L'Illusion comique* serait une pièce à clefs : l'acteur Floridor, déjà lié avec l'auteur, aurait pu servir de modèle à Clindor, comme le suggèrent l'onomastique, l'allusion à l'Angleterre (pays où se trouvait le comédien cette année-là) et quelques autres détails biographiques (sa noblesse ; son ancienne carrière militaire). Plus généralement, il faut reconnaître que *L'Illusion comique,* étant donné les conditions de sa genèse, requérait des types : à pièce de commande, personnages de commande.

Connexions françaises

Disposant avec ces deux premiers personnages d'un schéma originel, Corneille l'a enrichi en leur adjoignant tout un réseau de figures de provenances diverses. Mais, de façon générale, tout ce qu'il a pu « emprunter » a été passé au crible de la comédie de mœurs qu'il a pratiquée jusque-là, de sorte que l'on reconnaît mal, en définitive, ses « modèles ». Clindor lui-même doit plus à Clitandre qu'à Artotrogus. Corneille, dans l'examen de *La Veuve,* confie son « aversion » pour les apartés : or, la pièce de Plaute les estimait fort. De même, il a considérablement relevé le ton des personnages de Géronte, Isabelle, ou Lise, pour en faire des héros du théâtre français. Bien que leurs noms renvoient à des modèles italiens (Géronte est apparenté au Pantalon de la commedia dell'arte), le comique en diffère tout à fait. Ainsi, la scène où Isabelle tient tête aux soupirs d'Adraste est d'une galanterie qui rappelle surtout la scène 2 de l'acte III dans *La Suivante.* On peut dire, de manière générale, que Corneille a tiré profit, dans *L'Illusion comique,* de ses trouvailles antérieures, et qu'il en a fait, en quelque sorte, le bilan : la « monstruosité » apparente s'en trouve, de fait, relativisée. Par exemple, dans *Mélite* comme dans *La Veuve,* l'auteur avait confié un second rôle féminin au type traditionnel de la nourrice. À partir de *La Suivante,* il invente une figure nouvelle, la « suivante », qui se place un ton au-dessus de la soubrette. Cette innovation se retrouve dans *L'Illusion comique,* et par la magie déformante de l'effet métathéâtral, elle est même réfractée sous plusieurs angles : Lise apparaît d'abord comme une servante (acte II), avant de prétendre au rôle d'intrigante (acte IV) comme l'Amarante de *La Suivante ;* à l'acte V, enfin, elle est Clarine, suivante en titre et dame de compagnie d'Isabelle alias Hippolyte. Le nom même de Lise (ou Lyse) est à rapprocher de celui de Lysarque, dans *Clitandre,* « écuyer » de Rosidor, et non simple valet. Dans l'ensemble, s'il est vrai que Corneille s'est beaucoup souvenu dans *L'Illusion comique* de Hardy, Scudéry, ou Rotrou, il a tout autant tiré le meilleur parti de sa propre production. Ainsi, la scène de la prison, si elle trouve des équivalents chez ses contemporains (le *Ligdamon et Lidias,* de Scudéry par exemple), n'en renvoie pas moins, pour Corneille, à son propre *Clitandre.*

Il en va de même pour le personnage d'Alcandre. Si le type du mage, en France, se rencontre d'abord dans le genre pastoral, son origine est italienne. On notera qu'au début du

XVIIe siècle, le mage appartient à la fois au monde romanesque et au monde dramatique : on le retrouve dans *L'Astrée* aussi bien que dans les *Bergeries* de Racan qui sont des « pastorales dramatiques ». Le nom même d'Alcandre provient sans doute d'une pièce de Rotrou, *La Bague de l'oubli* (1629), dans laquelle apparaît le magicien. Cependant, là encore, Corneille n'emprunte pas directement à ses contemporains ou à ses prédécesseurs : il se souvient avant tout de son œuvre propre, où il a déjà introduit, par deux fois, un « Alcandre » : dans *Clitandre,* c'est le nom du roi d'Écosse ; dans *La Veuve,* c'est le nom du mari mort de Clarice.

D'Espagne et d'Angleterre

Qu'un roi d'Écosse, dans *Clitandre,* se soit déjà nommé Alcandre nous oblige à garder à l'esprit que les connexions du théâtre cornélien ne se limitent pas, comme souvent en son temps, à la tradition italienne, ni même à la vogue espagnole. D'ailleurs, c'est dans *L'Illusion comique* la première fois que le dramaturge évoque l'Espagne en citant, par exemple, des romans picaresques. Par la suite, Corneille exploitera encore cette veine, dans *Le Cid* (1637), où le sujet, les personnages et l'intrigue sont tout entiers espagnols, de même que dans *Don Sanche d'Aragon* (1649). Toutefois, le succès du *Cid* ne doit pas faire oublier que chez Corneille l'inspiration espagnole est mineure, par comparaison à la vogue qu'elle connaît chez ses contemporains (Rotrou, puis d'Ouville et Scarron, notamment). Ne négligeons pas le fait que deux des plus grands héros du théâtre français du XVIIe siècle, Rodrigue et Dom Juan, sont espagnols. À cet état de fait, Corneille a contribué, sans s'y attarder.

En revanche, Corneille a dû être bien plus attentif que ses rivaux à l'évolution du théâtre en Angleterre. D'une part, il est rouennais, et les liens de sa ville avec l'île d'en face ont toujours été étroits. D'autre part, en 1635, une de ses pièces, *Mélite,* est jouée pour la première fois à Londres, devant la Cour. Enfin, l'acte V de *L'Illusion comique* est situé, sans nécessité apparente, en Angleterre. Il n'est pas impossible que ces différents indices soit censés signaler un goût de Corneille pour le théâtre élisabéthain. En particulier, on ne saurait minimiser le fait que la technique du « théâtre dans le théâtre », reprise par Corneille pour *L'Illusion comique*, est d'origine anglaise. On la trouve pour la première fois chez Thomas Kid, en 1589. Shakespeare y recourut plusieurs fois (dans *Hamlet, Le Songe d'une nuit d'été*), de même qu'il a présenté plusieurs figures de mages (Prospéro, Obéron) qui eux aussi sont des métaphores du dramaturge. Bien entendu, Corneille n'est pas le premier, en France, à avoir adapté ce procédé baroque venu d'outre-Manche : Baro l'a fait avant lui, dans sa *Célinde.* Scudéry a fait jouer en 1633 une *Comédie des comédiens,* où les personnages sont des acteurs ; en outre, dans cette même pièce, un oncle part à la recherche de son neveu : autant dire que Corneille ne s'est pas privé de prendre à Scudéry, qui lui en tiendra certainement rigueur, comme en témoigne son implication dans la querelle du *Cid.* Cependant, Corneille ne s'est pas contenté de synthétiser ses modèles : il les a aussi devancés. On trouve déjà dans ses pièces antérieures des exemples de théâtre dans le théâtre. Par exemple, dans *La Veuve,* à l'acte III, scène 3, Alcidon compare ses sentiments à ceux des personnages de *Mélite,* autre pièce de Corneille !

Portrait de Pierre Corneille. Musée national du château de Versailles. Peintre anonyme du XVIIe *siècle.*

L'illusion comique

CORNEILLE

comédie

Représentée pour la première fois durant la saison 1635-1636

À Mademoiselle M.F.D.R.[1]

MADEMOISELLE,

Voici un étrange monstre que je vous dédie. Le premier acte n'est qu'un prologue, les trois suivants font une comédie imparfaite, le dernier est une tragédie, et tout cela cousu ensemble fait une comédie. Qu'on en nomme l'invention bizarre et extravagante tant qu'on voudra, elle est nouvelle ; et souvent la grâce de la nouveauté parmi nos Français n'est pas un petit degré de bonté. Son succès ne m'a point fait de honte sur le théâtre et j'ose dire que la représentation de cette pièce capricieuse[2] ne vous a point déplu, puisque vous m'avez commandé de vous en adresser l'épître[3] quand elle irait sous la presse. Je suis au désespoir de vous la présenter en si mauvais état qu'elle en est méconnaissable : la quantité de fautes que l'imprimeur a ajoutées aux miennes, la déguise, ou, pour mieux dire, la change entièrement. C'est l'effet de mon absence de Paris, d'où mes affaires m'ont rappelé sur le point qu'il l'imprimait, et m'ont obligé d'en abandonner les épreuves à sa discrétion. Je vous conjure de ne la lire point que vous n'ayez pris la peine de corriger ce que vous trouverez marqué en suite de cette Épître[4]. Ce n'est pas que j'y aie employé[5] toutes les fautes qui s'y sont coulées : le nombre en est si grand qu'il eût épouvanté le lecteur ; j'ai seulement choisi

1. Destinataire inconnue, peut-être une jeune fille de Rouen. Certains ont pensé, à cause de l'anonymat où la laissent les initiales, que cette personne devait appartenir à un milieu « suspect » politiquement.
2. **Capricieuse :** qui n'obéit pas aux règles (de la tragédie classique).
3. **Vous en adresser l'épître :** vous en envoyer un exemplaire dédicacé.
4. Dans l'édition de 1639, la dédicace était suivie d'une liste des fautes.
5. **Employé :** relevé.

celles qui peuvent apporter quelque corruption notable au sens, et qu'on ne peut pas deviner aisément. Pour les autres qui ne sont que contre la rime, ou l'orthographe, ou la ponctuation, j'ai cru que le lecteur judicieux y suppléerait sans beaucoup de difficulté, et qu'ainsi il n'était pas besoin d'en charger cette première feuille. Cela m'apprendra à ne hasarder plus de pièces à l'impression durant mon absence. Ayez assez de bonté pour ne dédaigner pas celle-ci, toute déchirée qu'elle est, et vous m'obligerez d'autant plus à demeurer toute ma vie,

MADEMOISELLE,

Le plus fidèle et le plus passionné
de vos serviteurs,

Corneille.

Examen

Je dirai peu de chose de cette pièce : c'est une galanterie[1] extravagante, qui a tant d'irrégularités qu'elle ne vaut pas la peine de la considérer, bien que la nouveauté de ce caprice en ait rendu le succès assez favorable pour ne me repentir pas d'y avoir perdu quelque temps. Le premier acte ne semble qu'un prologue, les trois suivants forment une pièce que je ne sais comment nommer. Le succès[2] en est tragique : Adraste y est tué, et Clindor en péril de mort ; mais le style et les personnages sont entièrement de la comédie. Il y en a même un qui n'a d'être que dans l'imagination, inventé exprès pour faire rire, et dont il ne se trouve point d'original parmi les hommes. C'est un capitan[3] qui soutient assez son caractère de fanfaron, pour me permettre de croire qu'on en trouvera peu, dans quelque langue que ce soit, qui s'en acquittent mieux. L'action n'y est pas complète, puisqu'on ne sait, à la fin du quatrième acte qui la termine, ce que deviennent mes principaux acteurs, et qu'ils se dérobent plutôt au péril qu'ils n'en triomphent. Le lieu y est assez régulier, mais l'unité de jour n'y est pas observée. Le cinquième est une tragédie assez courte pour n'avoir pas la juste grandeur que demande Aristote[4], et que j'ai tâché d'expliquer. Clindor et Isabelle étant devenus comédiens, sans qu'on le sache, y représentent une histoire, qui a du rapport avec la leur, et semble en être la suite. Quelques-uns ont attribué cette conformité à un manque d'invention, mais c'est un trait d'art pour mieux

1. **Galanterie :** divertissement raffiné.
2. **Succès :** dénouement.
3. **Capitan :** soldat vantard, fanfaron (nom d'un personnage du théâtre italien).
4. **Aristote :** philosophe grec du IVe siècle qui a établi les règles de la dramaturgie. Au XVIIe siècle encore, personne n'osait contredire son opinion.

abuser[1] par une fausse mort le père de Clindor qui les regarde, et rendre son retour de la douleur à la joie plus surprenant, et plus agréable.

Tout cela cousu ensemble fait une comédie dont l'action n'a pour durée que celle de sa représentation, mais sur quoi il ne serait pas sûr de prendre exemple. Les caprices de cette nature ne se hasardent qu'une fois, et quand l'original aurait passé pour merveilleux, la copie n'en peut jamais rien valoir. Le style semble assez proportionné aux matières, si ce n'est que Lise en la sixième scène du troisième acte semble s'élever un peu trop au-dessus du caractère de servante. Ces deux vers d'Horace lui serviront d'excuse, aussi bien qu'au père du Menteur[2], quand il se met en colère contre son fils au cinquième :

Interdum tamen et vocem Comœdia tollit,
Iratusque Chremes tumido delitigat ore[3].

Je ne m'étendrai pas davantage sur ce poème[4]. Tout irrégulier qu'il est, il faut qu'il ait quelque mérite, puisqu'il a surmonté l'injure des temps, et qu'il paraît encore sur nos théâtres, bien qu'il y ait plus de vingt et cinq années qu'il est au monde, et qu'une si longue révolution en ait enseveli beaucoup sous la poussière, qui semblaient avoir plus de droit que lui à prétendre à une si heureuse durée.

1. **Abuser** : induire en erreur.
2. Allusion au *Menteur,* pièce de Corneille datant de 1644, où l'un des personnages s'exprime, comme Lise, sur un ton trop noble pour sa condition.
3. Citation du poète latin Horace, dans l'*Art poétique.* « Parfois, cependant, la comédie hausse le ton, et Chrémès en colère enfle sa voix pour gronder. »
4. **Ce poème** : cette pièce de théâtre.

Personnages

ALCANDRE	*magicien.*
PRIDAMANT	*père de Clindor.*
DORANTE	*ami de Pridamant.*
MATAMORE	*capitan gascon, amoureux d'Isabelle.*
CLINDOR	*suivant du capitan et amant d'Isabelle.*
ADRASTE	*gentilhomme amoureux d'Isabelle.*
GÉRONTE	*père d'Isabelle.*
ISABELLE	*fille de Géronte.*
LISE	*servante d'Isabelle.*

Geôlier de Bordeaux.

Page du capitan.

ROSINE	*princesse d'Angleterre, femme de Florilame.*
ÉRASTE	*écuyer de Florilame.*

Troupe de domestiques d'Adraste.

Troupe de domestiques de Florilame.

La scène est en Touraine, en une campagne proche de la grotte du magicien.

ACTE PREMIER

SCÈNE PREMIÈRE. PRIDAMANT, DORANTE.

DORANTE

Ce grand mage dont l'art commande à la nature
N'a choisi pour palais que cette grotte obscure ;
La nuit qu'il entretient sur cet affreux[1] séjour,
N'ouvrant son voile épais qu'aux rayons d'un faux jour,
5 De leur éclat douteux n'admet en ces lieux sombres
Que ce qu'en peut souffrir[2] le commerce des ombres[3].
N'avancez pas : son art au pied de ce rocher
A mis de quoi punir qui s'en ose approcher,
Et cette large bouche est un mur invisible
10 Où l'air en sa faveur devient inaccessible,
Et lui fait un rempart dont les funestes bords
Sur un peu de poussière étalent mille morts.
Jaloux de son repos plus que de sa défense,
Il perd qui l'importune ainsi que qui l'offense,
15 Si bien que ceux qu'amène un curieux désir
Pour consulter Alcandre attendent son loisir[4].
Chaque jour il se montre, et nous touchons à l'heure
Que pour se divertir il sort de sa demeure.

PRIDAMANT

J'en attends peu de chose et brûle de le voir,
20 J'ai de l'impatience et je manque d'espoir.
Ce fils, ce cher objet de mes inquiétudes,
Qu'ont éloigné de moi des traitements trop rudes,
Et que depuis dix ans je cherche en tant de lieux,

1. **Affreux :** terrifiant (sens plus fort qu'aujourd'hui).
2. **Souffrir :** supporter, tolérer.
3. **Le commerce des ombres :** la fréquentation des esprits.
4. **Attendent son loisir :** attendent qu'il le veuille bien.

A caché pour jamais sa présence à mes yeux.
25 Sous ombre qu'il[1] prenait un peu trop de licence[2],
Contre ses libertés je raidis ma puissance ;
Je croyais le réduire à force de punir,
Et ma sévérité ne fit que le bannir.
Mon âme vit l'erreur dont elle était séduite[3] ;
30 Je l'outrageais présent[4] et je pleurai sa fuite,
Et l'amour paternel me fit bientôt sentir
D'une injuste rigueur un juste repentir.
Il l'a fallu chercher : j'ai vu dans mon voyage
Le Pô, le Rhin, la Meuse, et la Seine, et le Tage ;
35 Toujours le même soin travaille mes esprits[5],
Et ces longues erreurs[6] ne m'en ont rien appris.
Enfin, au désespoir de perdre tant de peine,
Et n'attendant plus rien de la prudence humaine,
Pour trouver quelque fin à tant de maux soufferts,
40 J'ai déjà sur ce point consulté les Enfers[7] ;
J'ai vu les plus fameux en ces noires sciences
Dont vous dites qu'Alcandre a tant d'expérience ;
On en faisait l'état que vous faites de lui,
Et pas un d'eux n'a pu soulager mon ennui[8].
45 L'Enfer devient muet quand il me faut répondre,
Ou ne me répond rien qu'à fin de me confondre.

DORANTE

Ne traitez pas Alcandre en homme du commun,
Ce qu'il sait en son art n'est connu de pas un.
Je ne vous dirai point qu'il commande au tonnerre,
50 Qu'il fait enfler les mers, qu'il fait trembler la terre,

---

1. **Sous ombre qu'il prenait :** sous prétexte qu'il prenait.
2. **Licence :** laisser-aller.
3. **Séduite :** trompée.
4. **Je l'outrageais présent :** j'étais injuste avec lui quand il était là.
5. **Le même soin travaille mes esprits :** le même souci tourmente mon esprit.
6. **Erreurs :** errances.
7. **Les Enfers :** les esprits des morts.
8. **Ennui :** tourment, peine.

Que de l'air qu'il mutine en mille tourbillons
Contre ses ennemis il fait des bataillons,
Que de ses mots savants les forces inconnues
Transportent les rochers, font descendre les nues,
55 Et briller dans la nuit l'éclat de deux soleils ;
Vous n'avez pas besoin de miracles pareils ;
Il suffira pour vous qu'il lit dans les pensées,
Et connaît l'avenir et les choses passées.
Rien n'est secret pour lui dans tout cet univers,
60 Et pour lui nos destins sont des livres ouverts.
Moi-même ainsi que vous je ne pouvais le croire ;
Mais, sitôt qu'il me vit, il me dit mon histoire,
Et je fus étonné d'entendre les discours
Des traits les plus cachés de mes jeunes amours.

PRIDAMANT

65 Vous m'en dites beaucoup.

DORANTE

J'en ai vu davantage.

PRIDAMANT

Vous essayez en vain de me donner courage.
Mes soins et mes travaux verront sans aucun fruit
Clore mes tristes jours d'une éternelle nuit.

DORANTE

Depuis que j'ai quitté le séjour de Bretagne
70 Pour venir faire ici le noble de campagne,
Et que deux ans d'amour par une heureuse fin
M'ont acquis Silvérie et ce château voisin,
De pas un, que je sache, il n'a déçu l'attente.
Quiconque le consulte, en sort l'âme contente.
75 Croyez-moi, son secours n'est pas à négliger :
D'ailleurs il est ravi quand il peut m'obliger[1],
Et j'ose me vanter qu'un peu de mes prières
Vous obtiendra de lui des faveurs singulières.

1. **M'obliger :** me rendre service.

PRIDAMANT

Le sort m'est trop cruel pour devenir si doux.

DORANTE

80 Espérez mieux, il sort et s'avance vers vous.
Regardez-le marcher : ce visage si grave,
Dont le rare savoir tient la nature esclave,
N'a sauvé toutefois des ravages du temps
Qu'un peu d'os et de nerfs qu'ont décharnés cent ans.
85 Son corps malgré son âge a les forces robustes,
Le mouvement facile et les démarches justes :
Des ressorts inconnus agitent le vieillard,
Et font de tous ses pas des miracles de l'art[1].

1. L'art : ici, la magie.

REPÈRES

• Quels sont les personnages (présents sur scène ou absents) qui interviennent dans cette scène d'exposition ?
• Où se passe exactement la scène ? En quoi ce lieu convient-il bien au début d'une pièce de théâtre ?

OBSERVATION

• Quel lien unit Dorante et Pridamant ? Que cherche à faire le premier ? Quels sentiments éprouve le second ?
• Relevez les formules par lesquelles sont introduits Alcandre et Clindor. Quelle impression donne aux spectateurs l'emploi du déterminant démonstratif ?
• Cherchez les différentes datations présentes dans le texte et reconstituez la chronologie des événements antérieurs au début de la pièce.
• Notez, dans la description de la grotte, tous les termes qui en soulignent l'aspect effrayant. Quel rapport peut-on établir entre ce lieu et l'activité qu'y pratique Alcandre ?

INTERPRÉTATIONS

• **Dorante**
En quoi son rôle est-il indispensable dans cette scène initiale ? Cherchez si ce personnage intervient par la suite. Que pouvez-vous en conclure ?
• **Pridamant**
En quoi sa quête est-elle inhabituelle ? Montrez pourquoi sa situation lui semble tragique. D'un point de vue religieux, que suppose la consultation d'un mage ?
• **Alcandre**
Dans le portrait qu'en fait Dorante, classez ce qui appartient au type traditionnel du mage, et ce qui vous paraît plus original. Sur quel genre de pouvoirs le texte insiste-t-il plus particulièrement ? Pourquoi ?

SCÈNE 2. ALCANDRE, PRIDAMANT, DORANTE.

DORANTE

Grand démon[1] du savoir, de qui les doctes veilles[2]
90 Produisent chaque jour de nouvelles merveilles,
À qui rien n'est secret dans nos intentions,
Et qui vois sans nous voir toutes nos actions,
Si de ton art divin le pouvoir admirable
Jamais en ma faveur se rendit secourable,
95 De ce père affligé soulage les douleurs.
Une vieille amitié prend part en ses malheurs :
Rennes ainsi qu'à moi lui donna la naissance,
Et presque entre ses bras j'ai passé mon enfance ;
Là de son fils et moi naquit l'affection ;
100 Nous étions pareils d'âge et de condition...

ALCANDRE

Dorante, c'est assez, je sais ce qui l'amène :
Ce fils est aujourd'hui le sujet de sa peine.
Vieillard, n'est-il pas vrai que son éloignement
Par un juste remords te gêne incessamment[3],
105 Qu'une obstination à te montrer sévère
L'a banni de ta vue et cause ta misère,
Qu'en vain au repentir de ta sévérité,
Tu cherches en tous lieux ce fils si mal traité ?

PRIDAMANT

Oracle de nos jours qui connais toutes choses,
110 En vain de ma douleur je cacherais les causes :
Tu sais trop quelle fut mon injuste rigueur,
Et vois trop clairement les secrets de mon cœur.
Il est vrai, j'ai failli[4], mais pour mes injustices
Tant de travaux[5] en vain sont d'assez grands supplices.

---

1. **Démon :** génie.
2. **Doctes veilles :** nuits passées à étudier.
3. **Te gêne incessamment :** te tourmente sans cesse.
4. **J'ai failli :** j'ai fait erreur.
5. **Travaux :** souffrances.

115 Donne enfin quelque borne à mes regrets cuisants,
Rends-moi l'unique appui de mes débiles[1] ans ;
Je le tiendrai[2] rendu si j'en sais des nouvelles,
L'amour pour le trouver me fournira des ailes.
Où fait-il sa retraite ? En quels lieux dois-je aller ?
120 Fût-il au bout du monde, on m'y verra voler.

ALCANDRE

Commencez d'espérer ; vous saurez par mes charmes[3]
Ce que le ciel vengeur refusait à vos larmes ;
Vous reverrez ce fils plein de vie et d'honneur ;
De son bannissement il tire son bonheur.
125 C'est peu de vous le dire : en faveur de Dorante
Je veux vous faire voir sa fortune éclatante.
Les novices de l'art[4] avecques leurs encens
Et leurs mots inconnus qu'ils feignent tout-puissants,
Leurs herbes, leurs parfums, et leurs cérémonies,
130 Apportent au métier des longueurs infinies,
Qui ne sont, après tout, qu'un mystère pipeur[5]
Pour les faire valoir, et pour vous faire peur.
Ma baguette à la main, j'en ferai davantage.
(Il donne un coup de baguette et on tire un rideau derrière lequel sont en parade les plus beaux habits des comédiens.)
Jugez de votre fils par un tel équipage[6].
135 Eh bien, celui d'un prince a-t-il plus de splendeur ?
Et pouvez-vous encor douter de sa grandeur ?

PRIDAMANT

D'un amour paternel vous flattez les tendresses ;
Mon fils n'est point de rang à porter ces richesses,
Et sa condition ne saurait endurer

1. **Débiles** : faibles.
2. **Je le tiendrai** : je le considérerai comme.
3. **Mes charmes** : ma magie.
4. **Les novices de l'art** : les magiciens débutants.
5. **Pipeur** : trompeur.
6. **Équipage** : costume.

140 Qu'avecque tant de pompe[1] il ose se parer.

ALCANDRE

Sous un meilleur destin sa fortune rangée,
Et sa condition avec le temps changée,
Personne maintenant n'a de quoi murmurer
Qu'en public de la sorte il ose se parer.

PRIDAMANT

145 À cet espoir si doux j'abandonne mon âme.
Mais parmi ces habits je vois ceux d'une femme :
Serait-il marié ?

ALCANDRE

Je vais de ses amours
Et de tous ses hasards[2] vous faire le discours.
Toutefois, si votre âme était assez hardie,
150 Sous une illusion[3] vous pourriez voir sa vie,
Et tous ses accidents[4] devant vous exprimés
Par des spectres pareils à des corps animés :
Il ne leur manquera ni geste ni parole.

PRIDAMANT

Ne me soupçonnez point d'une crainte frivole :
155 Le portrait de celui que je cherche en tous lieux
Pourrait-il par sa vue épouvanter mes yeux ?

ALCANDRE *à Dorante.*

Mon Cavalier, de grâce, il faut faire retraite[5],
Et souffrir qu'entre nous l'histoire en soit secrète.

PRIDAMANT

Pour un si bon ami je n'ai point de secrets.

DORANTE

160 Il vous faut sans réplique accepter ses arrêts.
Je vous attends chez moi.

---

1. **Pompe :** splendeur, magnificence.
2. **Hasards :** mésaventures.
3. **Illusion :** vision, apparition suscitée par la magie.
4. **Accidents :** événements.
5. **Faire retraite :** se retirer, s'en aller.

ALCANDRE
Ce soir, si bon lui semble,
Il vous apprendra tout quand vous serez ensemble.

SCÈNE 3. ALCANDRE, PRIDAMANT.

ALCANDRE
Votre fils tout d'un coup ne fut pas grand seigneur ;
Toutes ses actions ne vous font pas honneur,
165 Et je serais marri d'exposer sa misère
En spectacle à des yeux autres que ceux d'un père.
Il vous prit quelque argent, mais ce petit butin
À peine lui dura du soir jusqu'au matin.
Et pour gagner Paris, il vendit par la plaine
170 Des brevets[1] à chasser la fièvre et la migraine,
Dit la bonne aventure, et s'y rendit ainsi.
Là, comme on vit d'esprit, il en vécut aussi ;
Dedans Saint-Innocent il se fit secrétaire[2] ;
Après, montant d'état, il fut clerc d'un notaire ;
175 Ennuyé de la plume, il la quitta soudain,
Et dans l'académie il joua de la main[3] ;
Il se mit sur la rime, et l'essai de sa veine
Enrichit les chanteurs de la Samaritaine[4] ;
Son style prit après de plus beaux ornements,
180 Il se hasarda même à faire des romans,
Des chansons pour Gautier, des pointes pour Guillaume[5] ;

---

1. **Brevets** : billets où étaient écrites des formules magiques, que vendaient les charlatans de l'époque.
2. **Secrétaire** : écrivain public.
3. **Dans l'académie il joua de la main** : il gagna de l'argent en trichant au jeux (l'« académie » est une salle de jeux).
4. **Chanteurs de la Samaritaine** : chanteurs de rue qui jouaient à la fontaine de la Samaritaine, près du Pont-Neuf, à Paris.
5. **Gautier, Guillaume** : allusion à des chansonniers de l'époque.

Depuis il trafiqua de chapelets de baume,
Vendit du mithridate en maître opérateur[1],
Revint dans le Palais et fut solliciteur[2] ;
185 Enfin jamais Buscon, Lazarille de Tormes,
Sayavèdre et Gusman[3] ne prirent tant de formes ;
C'était là pour Dorante un honnête entretien !

PRIDAMANT

Que je vous suis tenu[4] de ce qu'il n'en sait rien !

ALCANDRE

Sans vous faire rien voir, je vous en fais un conte
190 Dont le peu de longueur épargne votre honte.
Las de tant de métiers sans honneur et sans fruit,
Quelque meilleur destin à Bordeaux l'a conduit,
Et là, comme il pensait au choix d'un exercice[5],
Un brave du pays l'a pris à son service.
195 Ce guerrier amoureux en a fait son agent ;
Cette commission[6] l'a remeublé d'argent :
Il sait avec adresse, en portant les paroles,
De la vaillante dupe attraper les pistoles ;
Même de son agent il s'est fait son rival,
200 Et la beauté qu'il sert[7] ne lui veut point de mal.
Lorsque de ses amours vous aurez vu l'histoire,
Je vous le veux montrer plein d'éclat et de gloire,
Et la même action qu'il pratique aujourd'hui.

PRIDAMANT

Que déjà cet espoir soulage mon ennui !

ALCANDRE

205 Il a caché son nom en battant la campagne,

---

1. **Mithridate :** contrepoison ; **opérateur :** charlatan.
2. **Le Palais :** le Palais de justice ; **solliciteur :** avocat.
3. **Buscon, Lazarille de Tormes, Sayavèdre, Gusman :** héros de romans picaresques espagnols, à la mode à l'époque.
4. **Je vous suis tenu :** je vous suis reconnaissant.
5. **Exercice :** métier.
6. **Commission :** emploi.
7. **La beauté qu'il sert :** la femme qu'il aime.

Et s'est fait de Clindor, le sieur de la Montagne[1] ;
C'est ainsi que tantôt vous l'entendrez nommer.
Voyez tout sans rien dire et sans vous alarmer.
Je tarde un peu beaucoup pour votre impatience ;
210 N'en concevez pourtant aucune défiance :
C'est qu'un charme ordinaire a trop peu de pouvoir
Sur les spectres parlants qu'il faut vous faire voir.
Entrons dedans ma grotte, afin que j'y prépare
Quelques charmes nouveaux pour un effet si rare.

1. Le sieur de la Montagne : pseudonyme d'acteur.

REPÈRES

• Dorante prend la parole en premier : est-ce normal ? A-t-il encore un rôle à jouer une fois qu'Alcandre a parlé ? Et pourquoi doit-il se retirer à la scène 3 ?

OBSERVATION

• Relevez, dans le discours de Dorante, les marques du respect qu'il porte à Alcandre.
• Après avoir relu la scène 1, indiquez l'origine sociale et géographique de Dorante et Pridamant. Quelle semble être, au contraire, la nouvelle condition du fils de ce dernier ?
• Comment Alcandre juge-t-il les autres mages ? Notez, dans sa réplique, les termes qui désignent les attributs traditionnels du sorcier.
• Quel genre d'emplois Clindor a-t-il occupés dans sa vie ? Montrez que sa biographie, esquissée par Alcandre, est celle d'un héros de roman picaresque.
• Par quel terme Alcandre appelle-t-il le « spectacle » surnaturel qu'il veut donner à voir à Pridamant ? Pourquoi ce mot est-il important ?

INTERPRÉTATIONS

• Qu'est-ce qui rapproche Alcandre, au début de la scène 2, des spectateurs ? Ensuite, qu'est-ce qui l'apparente au metteur en scène ?
• Expliquez l'importance de la mention « ce soir » (v. 161), au vu des règles de la dramaturgie classique. Ce programme est-il respecté par la suite de la pièce ?
• Trouvez des indices de ce que la « magie » d'Alcandre représente en fait le théâtre. Quant à Clindor, quels détails sous-entendent déjà qu'il est devenu comédien ?

De l'aveu même de Corneille, l'acte premier ne serait qu'un « prologue ». Il est vrai qu'il étonne par sa brièveté. En outre, l'exposition a quelque chose d'irréel : les personnages centraux de l'intrigue (Clindor et sa suite) n'apparaissent qu'à travers la lanterne magique d'Alcandre, comme des figurines ou des ombres chinoises. Le texte, pourtant, nous donne des informations, mais à cause de l'illusion « magique », nous les interprétons confusément.

Le mystère est entretenu par l'intercesseur Dorante, puis par Alcandre. Tant par le lieu obscur de la grotte, que par la majesté des répliques, c'est à une scène d'initiation que nous assistons. Mais cette vision effrayante (et peu chrétienne) n'est elle-même qu'une donnée du code baroque. Le mage est un personnage traditionnel du roman « pastoral » qui n'a rien de sulfureux, et la sorcellerie d'Alcandre est toute cérébrale : omniscient, il possède le don de refléter la réalité – comme le théâtre – et c'est ce qu'il offre de faire devant Pridamant. Mais prudence ! Alcandre reste un « enchanteur » : il ne montre que ce qu'il veut, et c'est de là que naît la tension dramatique de la pièce.

Si l'acte premier installe d'emblée le métathéâtre, il a aussi l'audace de résumer toute la pièce, et d'en déflorer discrètement l'intérêt. Les propos d'Alcandre dans la scène 3 sont plus qu'une simple exposition : c'est une vision kaléidoscopique où Clindor, en héros picaresque, apparaît démultiplié sous des identités changeantes : colporteur, parolier, joueur, avocat, soldat… et comédien, comme le suggère le pseudonyme « la Montagne » et le vers 203, qui dévoile l'« *action* qu'il pratique aujourd'hui », employant un mot à forte connotation théâtrale. Dans son prologue, Alcandre-Corneille nous dit donc tout, y compris ce qui ne sera révélé qu'à la fin de l'acte V. Mais, en maître de l'illusion théâtrale, il dissipe le mystère tout en sachant que nous n'y prendrons pas garde. Retrouvant l'origine du mot « illusion », Corneille se joue de l'attention de son public.

ACTE II

SCÈNE PREMIÈRE. ALCANDRE, PRIDAMANT.

ALCANDRE

215 Quoi qui s'offre à vos yeux, n'en ayez point d'effroi.
De ma grotte surtout ne sortez qu'après moi,
Sinon, vous êtes mort. Voyez déjà paraître
Sous deux fantômes vains[1], votre fils et son maître.

PRIDAMANT

Ô Dieux ! je sens mon âme après lui s'envoler.

ALCANDRE

220 Faites-lui du silence et l'écoutez parler.

SCÈNE 2. MATAMORE, CLINDOR.

CLINDOR

Quoi, Monsieur, vous rêvez ! et cette âme hautaine
Après tant de beaux faits semble être encor en peine !
N'êtes-vous point lassé d'abattre des guerriers ?
Soupirez-vous après quelques nouveaux lauriers ?

MATAMORE

225 Il est vrai que je rêve, et ne saurais résoudre
Lequel je dois des deux le premier mettre en poudre,
Du grand Sophi de Perse, ou bien du grand Mogor[2].

CLINDOR

Et de grâce, Monsieur, laissez-les vivre encor !
Qu'ajouterait leur perte à votre renommée ?
230 Et puis quand auriez-vous rassemblé votre armée ?

---

1. **Vains** : irréels.
2. **Sophi** : roi de Perse ; **le grand Mogor** : l'empereur moghol.

Matamore. Illustration d'Edmond Geffroy pour une édition de l'Illusion comique *de 1877.*

MATAMORE

Mon armée ! ah poltron ! ah traître ! pour leur mort
Tu crois donc que ce bras ne soit pas assez fort !
Le seul bruit de mon nom renverse les murailles,
Défait les escadrons et gagne les batailles ;
235 Mon courage invaincu contre les empereurs
N'arme que la moitié de ses moindres fureurs ;
D'un seul commandement que je fais aux trois Parques[1],
Je dépeuple l'État des plus heureux monarques ;
Le foudre[2] est mon canon, les destins mes soldats ;
240 Je couche d'un revers mille ennemis à bas ;
D'un souffle je réduis leurs projets en fumée,
Et tu m'oses parler cependant d'une armée !
Tu n'auras plus l'honneur de voir un second Mars,
Je vais t'assassiner d'un seul de mes regards,
245 Veillaque[3]... Toutefois, je songe à ma maîtresse[4] ;
Le penser m'adoucit. Va, ma colère cesse,
Et ce petit archer[5] qui dompte tous les dieux
Vient de chasser la mort qui logeait dans mes yeux.
Regarde, j'ai quitté cette effroyable mine
250 Qui massacre, détruit, brise, brûle, extermine,
Et pensant au bel œil qui tient ma liberté,
Je ne suis plus qu'amour, que grâce, que beauté.

CLINDOR

Ô dieux ! en un moment que tout vous est possible !
Je vous vois aussi beau que vous étiez terrible,
255 Et ne crois point d'objet si ferme[6] en sa rigueur
Qui puisse constamment vous refuser son cœur.

---

1. **Parques :** déesses antiques du destin.
2. **Le foudre :** la foudre, arme du dieu Jupiter (le mot vient du latin *fulgur*, qui est masculin).
3. **Veillaque :** fripon, coquin (mot gascon).
4. **Ma maîtresse :** la femme que j'aime.
5. **Ce petit archer :** Cupidon, dieu de l'Amour.
6. **D'objet si ferme :** de femme si indifférente.

MATAMORE

Je te le dis encor, ne sois plus en alarme,
Quand je veux j'épouvante, et quand je veux je charme,
Et selon qu'il me plaît, je remplis tour à tour
260 Les hommes de terreur, et les femmes d'amour.
Du temps que ma beauté m'était inséparable,
Leurs persécutions me rendaient misérable :
Je ne pouvais sortir sans les faire pâmer ;
Mille mouraient par jour à force de m'aimer ;
265 J'avais des rendez-vous de toutes les princesses ;
Les reines à l'envi mendiaient mes caresses ;
Celle d'Éthiopie et celle du Japon
Dans leurs soupirs d'amour ne mêlaient que mon nom ;
De passion pour moi deux sultanes troublèrent[1] ;
270 Deux autres pour me voir du sérail s'échappèrent ;
J'en fus mal quelque temps avec le Grand Seigneur[2].

CLINDOR

Son mécontentement n'allait qu'à votre honneur.

MATAMORE

Ces pratiques nuisaient à mes desseins de guerre
Et pouvaient m'empêcher de conquérir la terre.
275 D'ailleurs, j'en devins las, et, pour les arrêter,
J'envoyai le Destin dire à son Jupiter
Qu'il trouvât un moyen qui fît cesser les flammes
Et l'importunité dont m'accablaient les dames ;
Qu'autrement, ma colère irait dedans les cieux
280 Le dégrader[3] soudain de l'empire des dieux,
Et donnerait à Mars à gouverner son foudre.
La frayeur qu'il en eut, le fit bientôt résoudre :
Ce que je demandais fut prêt en un moment,
Et, depuis, je suis beau quand je veux seulement.

1. **Troublèrent :** devinrent folles.
2. **Le Grand Seigneur :** le sultan de Turquie.
3. **Le dégrader :** lui retirer son pouvoir.

CLINDOR

285 Que j'aurais sans cela de poulets[1] à vous rendre !

MATAMORE

De quelle que ce soit, garde-toi bien d'en prendre,
Sinon de... Tu m'entends. Que dit-elle de moi ?

CLINDOR

Que vous êtes des cœurs et le charme et l'effroi,
Et que, si quelque effet peut suivre vos promesses,
290 Son sort est plus heureux que celui des déesses.

MATAMORE

Écoute : en ce temps-là dont tantôt je parlais,
Les déesses aussi se rangeaient sous mes lois,
Et je te veux conter une étrange aventure
Qui jeta du désordre en toute la nature,
295 Mais désordre aussi grand qu'on en voie arriver !
Le Soleil fut un jour sans se pouvoir lever,
Et ce visible dieu que tant de monde adore
Pour marcher devant lui ne trouvait point d'Aurore ;
On la cherchait partout, au lit du vieux Tithon,
300 Dans les bois de Céphale, au palais de Memnon[2],
Et, faute de trouver cette belle fourrière[3],
Le jour jusqu'à midi se passait sans lumière.

CLINDOR

Où se pouvait cacher la reine des clartés ?

MATAMORE

Parbleu, je la tenais encore à mes côtés !
305 Aucun n'osa jamais la chercher dans ma chambre,
Et le dernier de juin fut un jour de décembre ;
Car enfin, supplié par le dieu du Sommeil,
Je la rendis au monde, et l'on vit le Soleil.

1. **Poulets :** billets doux.
2. **Tithon, Céphale, Memnon :** respectivement, mari, amant et fils de la déesse Aurore.
3. **Cette belle fourrière :** l'Aurore, qui précède le Soleil (un « fourrier » est quelqu'un qui en précède un autre).

CLINDOR

Cet étrange accident me revient en mémoire ;
310 J'étais lors en Mexique, où j'en appris l'histoire,
Et j'entendis conter que la Perse en courroux
De l'affront de son dieu[1] murmurait contre vous.

MATAMORE

J'en ouïs quelque chose, et je l'eusse punie ;
Mais j'étais engagé dans la Transylvanie,
315 Où ses ambassadeurs qui vinrent l'excuser,
À force de présents me surent apaiser.

CLINDOR

Que la clémence est belle, en un si grand courage !

MATAMORE

Contemple, mon ami, contemple ce visage :
Tu vois un abrégé de toutes les vertus.
320 D'un monde d'ennemis sous mes pieds abattus,
Dont la race est périe et la terre déserte,
Pas un qu'à son orgueil n'a jamais dû sa perte.
Tous ceux qui font hommage à mes perfections
Conservent leurs États par leurs soumissions ;
325 En Europe où les rois sont d'une humeur civile,
Je ne leur rase point de château ni de ville ;
Je les souffre régner[2] ; mais chez les Africains,
Partout où j'ai trouvé des rois un peu trop vains[3],
J'ai détruit les pays avecque les monarques,
330 Et leurs vastes déserts en sont de bonnes marques ;
Ces grands sables qu'à peine on passe sans horreur
Sont d'assez beaux effets de ma juste fureur.

CLINDOR

Revenons à l'amour, voici votre maîtresse.

1. **L'affront de son dieu :** l'affront fait au Soleil, adoré par les Perses comme un dieu.
2. **Je les souffre régner :** je tolère qu'ils règnent.
3. **Vains :** vaniteux, orgueilleux.

MATAMORE

Ce diable de rival l'accompagne sans cesse.

CLINDOR

335 Où vous retirez-vous ?

MATAMORE

Ce fat n'est pas vaillant,

Mais il a quelque humeur qui le rend insolent ;

Peut-être qu'orgueilleux d'être avec cette belle,

Il serait assez vain pour me faire querelle.

CLINDOR

Ce serait bien courir lui-même à son malheur.

MATAMORE

340 Lorsque j'ai ma beauté, je n'ai point ma valeur.

CLINDOR

Cessez d'être charmant et faites-vous terrible.

MATAMORE

Mais tu n'en prévois pas l'accident infaillible :

Je ne saurais me faire effroyable à demi,

Je tuerais ma maîtresse avec mon ennemi.

345 Attendons en ce coin l'heure qui les sépare.

CLINDOR

Comme votre valeur, votre prudence est rare.

REPÈRES

• Quel rôle occupent, après la scène 1, Pridamant et Alcandre dans la situation théâtrale ? Quel vers le suggère le mieux ?
• Comment le personnage de Matamore était-il annoncé dans la scène 3 de l'acte I ? S'attendait-on à le voir ainsi ?

OBSERVATION

• Relevez les termes qui appartiennent au vocabulaire de la lâcheté et du courage.
• Le style de Matamore est hyperbolique. Donnez quelques exemples de ses exagérations.
• Quel procédé retrouve-t-on aux vers 258 et 260 ? La vantardise de Matamore s'exprime surtout dans deux domaines : lesquels ?
• Répertoriez les noms géographiques et les titres royaux que cite Matamore. Quel est l'effet produit par leur diversité ?
• Au vers 280, à qui s'en prend la mégalomanie du capitan ? Pourquoi mentionne-t-il Mars au vers suivant ?
• Qualifiez l'attitude de Clindor face à son maître. Pourquoi ne cherche-t-il pas à le démentir ? S'il le faisait, le passage serait-il aussi comique ?

INTERPRÉTATIONS

• Quel type de personnages Matamore se vante-t-il de dominer, par les armes ou par l'amour ? À quel genre théâtral ces personnages appartiennent-ils en principe ? Quel procédé comique pouvez-vous en déduire ?
• Que déguise la réplique de Matamore au vers 340 ? Comment réfute-t-il l'objection de Clindor ? Quelle qualité possède-t-il donc, à défaut de bravoure et de vérité ?

SCÈNE 3. ADRASTE, ISABELLE.

ADRASTE

Hélas ! s'il est ainsi, quel malheur est le mien !
Je soupire, j'endure, et je n'avance rien,
Et malgré les transports de mon amour extrême,
350 Vous ne voulez pas croire encor que je vous aime.

ISABELLE

Je ne sais pas, Monsieur, de quoi vous me blâmez.
Je me connais aimable et crois que vous m'aimez :
Dans vos soupirs ardents j'en vois trop d'apparence,
Et quand bien de leur part j'aurais moins d'assurance,
355 Pour peu qu'un honnête homme ait vers moi de crédit,
Je lui fais la faveur de croire ce qu'il dit.
Rendez-moi la pareille, et puisqu'à votre flamme
Je ne déguise rien de ce que j'ai dans l'âme,
Faites-moi la faveur de croire sur ce point
360 Que, bien que vous m'aimez[1], je ne vous aime point.

ADRASTE

Cruelle, est-ce là donc ce que vos injustices
Ont réservé de prix à de si longs services ?
Et mon fidèle amour est-il si criminel
Qu'il doive être puni d'un mépris éternel ?

ISABELLE

365 Nous donnons bien souvent de divers noms aux choses :
Des épines pour moi, vous les nommez des roses ;
Ce que vous appelez service, affection,
Je l'appelle supplice et persécution.
Chacun dans sa croyance également s'obstine.
370 Vous pensez m'obliger d'un feu[2] qui m'assassine,
Et la même action, à votre sentiment
Mérite récompense, au mien un châtiment.

---

1. **M'aimez :** à l'époque, l'indicatif était encore correct après la conjonction « bien que ».
2. **Feu :** amour (de même, « flammes », au v. 373).

ADRASTE

Donner un châtiment à des flammes si saintes,
Dont j'ai reçu du ciel les premières atteintes !
375 Oui, le ciel au moment qu'il me fit respirer
Ne me donna du cœur que pour vous adorer ;
Mon âme prit naissance avec votre idée ;
Avant que de vous voir, vous l'avez possédée,
Et les premiers regards dont m'aient frappé vos yeux
380 N'ont fait qu'exécuter l'ordonnance des cieux,
Que vous saisir d'un bien[1] qu'ils avaient fait tout vôtre.

ISABELLE

Le ciel m'eût fait plaisir d'en enrichir un autre.
Il vous fit pour m'aimer, et moi pour vous haïr :
Gardons-nous bien tous deux de lui désobéir.
385 Après tout, vous avez bonne part à sa haine,
Ou de quelque grand crime il vous donne la peine,
Car je ne pense pas qu'il soit supplice égal
D'être forcé d'aimer qui vous traite si mal.

ADRASTE

Puisque ainsi vous jugez que ma peine est si dure,
390 Prenez quelque pitié des tourments que j'endure.

ISABELLE

Certes, j'en ai beaucoup, et vous plains d'autant plus
Que je vois ces tourments passer pour superflus,
Et n'avoir pour tout fruit d'une longue souffrance
Que l'incommode honneur d'une triste constance.

ADRASTE

395 Un père l'autorise, et mon feu mal traité
Enfin aura recours à son autorité.

ISABELLE

Ce n'est pas le moyen de trouver votre compte,
Et d'un si beau dessein vous n'aurez que la honte.

1. **Que vous saisir d'un bien** : exemple de préciosité galante. Les yeux d'Isabelle, en regardant Adraste, lui ont « pris » son âme.

ADRASTE
J'espère voir pourtant avant la fin du jour
400 Ce que peut son vouloir au défaut de l'amour.

ISABELLE
Et moi, j'espère voir, avant que le jour passe,
Un amant accablé de nouvelle disgrâce.

ADRASTE
Eh quoi ! cette rigueur ne cessera jamais ?

ISABELLE
Allez trouver mon père, et me laissez en paix.

ADRASTE
405 Votre âme, au repentir de sa froideur passée,
Ne la veut point quitter sans être un peu forcée.
J'y vais tout de ce pas, mais avec des serments
Que c'est pour obéir à vos commandements.

ISABELLE
Allez continuer une vaine poursuite.

SCÈNE 4. MATAMORE, ISABELLE, CLINDOR, UN PAGE.

MATAMORE
410 Eh bien, dès qu'il m'a vu, comme a-t-il pris la fuite !
M'a-t-il bien su quitter[1] la place au même instant !

ISABELLE
Ce n'est pas honte à lui, les rois en font autant,
Au moins si ce grand bruit qui court de vos merveilles
N'a trompé mon esprit en frappant mes oreilles.

MATAMORE
415 Vous le pouvez bien croire, et pour le témoigner,
Choisissez en quels lieux il vous plaît de régner :

1. **Quitter : laisser.**

Ce bras tout aussitôt vous conquête[1] un empire.
J'en jure par lui-même, et cela, c'est tout dire.

ISABELLE

Ne prodiguez pas tant ce bras toujours vainqueur :
420 Je ne veux point régner que dessus votre cœur ;
Toute l'ambition que me donne ma flamme,
C'est d'avoir pour sujets les désirs de votre âme.

MATAMORE

Ils vous sont tous acquis, et pour vous faire voir
Que vous avez sur eux un absolu pouvoir,
425 Je n'écouterai plus cette humeur de conquête,
Et laissant tous les rois leurs couronnes en tête,
J'en prendrai seulement deux ou trois pour valets,
Qui viendront à genoux vous rendre mes poulets.

ISABELLE

L'éclat de tels suivants attirerait l'envie
430 Sur le rare bonheur où je coule ma vie.
Le commerce discret de nos affections
N'a besoin que de lui pour ces commissions.
(Elle montre Clindor.)

MATAMORE

Vous avez, Dieu me sauve, un esprit à ma mode :
Vous trouvez comme moi la grandeur incommode.
435 Les sceptres les plus beaux n'ont pour moi rien d'exquis,
Je les rends aussitôt que je les ai conquis,
Et me suis vu charmer quantité de princesses
Sans que jamais mon cœur acceptât ces maîtresses.

ISABELLE

Certes en ce point seul je manque un peu de foi[2].
440 Que vous ayez quitté des princesses pour moi !
Qu'elles n'aient pu blesser un cœur dont je dispose !

---

1. **Conquête :** conquiert.
2. **Je manque un peu de foi :** j'ai du mal à vous croire.

MATAMORE

Je crois que la Montagne en saura quelque chose.
Viens çà : lorsqu'en la Chine, en ce fameux tournoi,
Je donnai dans la vue[1] aux deux filles du roi,
445 Sus-tu rien de leur flamme et de la jalousie
Dont pour moi toutes deux avaient l'âme saisie ?

CLINDOR

Par vos mépris enfin l'une et l'autre mourut.
J'étais lors en Égypte, où le bruit en courut,
Et ce fut en ce temps que la peur de vos armes
450 Fit nager le grand Caire en un fleuve de larmes :
Vous veniez d'assommer dix géants en un jour,
Vous aviez désolé le pays d'alentour,
Rasé quinze châteaux, aplani deux montagnes,
Fait passer par le feu villes, bourgs et campagnes,
455 Et défait vers Damas cent mille combattants.

MATAMORE

Que tu remarques bien et les lieux et les temps !
Je l'avais oublié.

ISABELLE

Des faits si pleins de gloire
Vous peuvent-ils ainsi sortir de la mémoire ?

MATAMORE

Trop pleine des lauriers remportés sur nos rois,
460 Je ne la charge point de ces menus exploits.

PAGE

Monsieur...

MATAMORE

Que veux-tu, page ?

PAGE

Un courrier[2] vous demande.

---

1. **Je donnai dans la vue :** je fis bonne impression (*cf.* l'expression familière, aujourd'hui, « taper dans l'œil »).
2. **Courrier :** messager.

MATAMORE

D'où vient-il ?

PAGE

De la part de la reine d'Islande.

MATAMORE

Ciel qui sais comme quoi j'en suis persécuté,
Un peu plus de repos avec moins de beauté !
465 Fais qu'un si long mépris enfin la désabuse !

CLINDOR, *à Isabelle.*

Voyez ce que pour vous ce grand guerrier refuse.

ISABELLE

Je n'en puis plus douter.

CLINDOR

Il vous le disait bien.

MATAMORE

Elle m'a beau prier, non, je n'en ferai rien !
Et quoi qu'un fol espoir ose encor lui promettre,
470 Je lui vais envoyer sa mort dans une lettre.
Trouvez-le bon, ma reine, et souffrez cependant
Une heure d'entretien de ce cher confident,
Qui, comme de ma vie il sait toute l'histoire,
Vous fera voir sur qui vous avez la victoire.

ISABELLE

475 Tardez encore moins, et, par ce prompt retour,
Je jugerai quelle est envers moi votre amour.

REPÈRES

• La scène 3 présente d'emblée deux nouveaux personnages : quelle règle du théâtre classique est ici transgressée ? Cependant, comment ont-ils été introduits par la scène précédente ?

OBSERVATION

• À quel registre appartiennent les termes « hélas ! », « malheur », « cruelle », dont se sert Adraste ? Expliquez le décalage de ton qui existe entre Isabelle et lui.
• Quel procédé remarquez-vous aux vers 367-368 ? Montrez comment cela renforce l'opposition des deux personnages.
• De quelle autorité se recommande successivement Adraste pour convaincre la jeune fille ? Que cherche-t-il à faire ? Comment Isabelle retourne-t-elle son premier argument ?
• En quoi la première réplique de Matamore, à la scène 4, est-elle ridicule ? Qualifiez la réponse que lui fait Isabelle.
• Quelle est la particularité du serment de Matamore au vers 418 ? Que nous apprend-il sur ce personnage ?
• Que fait Clindor aux vers 451-455 ? Pourquoi ?
• Montrez que la vanité extrême de Matamore en fait aussi un être inhumain.

INTERPRÉTATIONS

• **Adraste**
Étudiez le langage galant dont use le prétendant d'Isabelle. Comment apparaît-il, par contraste, à la fin de la scène 3 ?
• En quoi l'égocentrisme de Matamore l'empêche-t-il de voir les liens qui se créent entre Isabelle et Clindor ? Quel vous paraît être le rôle joué par le Gascon dans l'action de la pièce ?

SCÈNE 5. CLINDOR, ISABELLE.

CLINDOR

Jugez plutôt par là l'humeur du personnage :
Ce page n'est chez lui que pour ce badinage,
Et venir d'heure en heure avertir Sa Grandeur
480 D'un courrier, d'un agent, ou d'un ambassadeur.

ISABELLE

Ce message me plaît bien plus qu'il ne lui semble :
Il me défait d'un fou pour nous laisser ensemble.

CLINDOR

Ce discours favorable enhardira mes feux
À bien user d'un temps si propice à mes vœux.

ISABELLE

485 Que m'allez-vous conter ?

CLINDOR

Que j'adore Isabelle ;
Que je n'ai plus de cœur ni d'âme que pour elle ;
Que ma vie...

ISABELLE

Épargnez ces propos superflus.
Je les sais, je les crois : que voulez-vous de plus ?
Je néglige à vos yeux l'offre d'un diadème,
490 Je dédaigne un rival, en un mot je vous aime.
C'est aux commencements des faibles passions
À s'amuser encor aux protestations !
Il suffit de nous voir, au point où sont les nôtres ;
Un clin d'œil vaut pour vous tous les discours des autres.

CLINDOR

495 Dieux ! qui l'eût jamais cru, que mon sort rigoureux
Se rendît si facile à mon cœur amoureux !
Banni de mon pays par la rigueur d'un père,
Sans support, sans amis, accablé de misère,
Et réduit à flatter le caprice arrogant
500 Et les vaines humeurs d'un maître extravagant,
En ce piteux état ma fortune si basse

Isabelle (Nathalie Nell) et Clindor (Stéphane Freiss).
Mise en scène de Giorgio Strehler. Théâtre de l'Odéon, 1985.

Trouve encor quelque part en votre bonne grâce,
Et d'un rival puissant les biens et la grandeur
Obtiennent moins sur vous[1] que ma sincère ardeur.

ISABELLE

505 C'est comme[2] il faut choisir, et l'amour véritable
S'attache seulement à ce qu'il voit d'aimable ;
Qui regarde les biens, ou la condition,
N'a qu'un amour avare ou plein d'ambition,
Et souille lâchement, par ce mélange infâme,
510 Les plus nobles désirs qu'enfante une belle âme.
Je sais bien que mon père a d'autres sentiments,
Et mettra de l'obstacle à nos contentements ;
Mais l'amour sur mon cœur a pris trop de puissance

1. **Sur vous :** de vous.
2. **C'est comme :** c'est comme cela.

Pour écouter encor les lois de la naissance.
515 Mon père peut beaucoup, mais bien moins que ma foi[1] :
Il a choisi pour lui, je veux choisir pour moi.

CLINDOR

Confus de voir donner à mon peu de mérite...

ISABELLE

Voici mon importun, souffrez[2] que je l'évite.

SCÈNE 6. ADRASTE, CLINDOR.

ADRASTE

Que vous êtes heureux, et quel malheur me suit !
520 Ma maîtresse vous souffre, et l'ingrate me fuit !
Quelque goût qu'elle prenne en votre compagnie,
Sitôt que j'ai paru, mon abord l'a bannie[3] !

CLINDOR

Sans qu'elle ait vu vos pas s'adresser en ce lieu,
Lasse de mes discours, elle m'a dit adieu.

ADRASTE

525 Lasse de vos discours ! votre humeur est trop bonne,
Et votre esprit trop beau pour ennuyer personne !
Mais que lui contiez-vous qui pût l'importuner ?

CLINDOR

Des choses qu'aisément vous pouvez deviner :
Les amours de mon maître, ou plutôt ses sottises,
530 Ses conquêtes en l'air, ses hautes entreprises.

ADRASTE

Voulez-vous m'obliger ? Votre maître ni vous
N'êtes pas gens tous deux à me rendre jaloux,
Mais, si vous ne pouvez arrêter ses saillies,
Divertissez ailleurs le cours de ses folies.

1. **Ma foi :** mon amour.
2. **Souffrez :** permettez.
3. **Mon abord l'a bannie :** mon arrivée l'a fait partir (langage précieux).

CLINDOR

535 Que craignez-vous de lui, dont tous les compliments
Ne parlent que de morts et de saccagements,
Qu'il bat, terrasse, brise, étrangle, brûle, assomme ?

ADRASTE

Pour être son valet[1] je vous trouve honnête homme ;
Vous n'avez point la mine à servir sans dessein
540 Un fanfaron plus fou que son discours n'est vain.
Quoi qu'il en soit, depuis que je vous vois chez elle,
Toujours de plus en plus je l'éprouve cruelle :
Ou vous servez quelque autre, ou votre qualité[2]
Laisse dans vos projets trop de témérité.
545 Je vous tiens fort suspect de quelque haute adresse.
Que votre maître enfin fasse une autre maîtresse,
Ou s'il ne peut quitter un entretien si doux,
Qu'il se serve du moins d'un autre que de vous.
Ce n'est pas qu'après tout les volontés d'un père
550 Qui sait ce que je suis, ne terminent l'affaire ;
Mais purgez-moi l'esprit de ce petit souci,
Et, si vous vous aimez, bannissez-vous d'ici ;
Car si je vous vois plus regarder cette porte,
Je sais comme traiter les gens de votre sorte.

CLINDOR

555 Me croyez-vous bastant[3] de nuire à votre feu ?

ADRASTE

Sans réplique, de grâce, ou vous verrez beau jeu[4] !
Allez, c'est assez dit.

CLINDOR

Pour un léger ombrage,
C'est trop indignement traiter un bon courage.
Si le ciel en naissant ne m'a fait grand seigneur,

---

1. **Pour être son valet :** bien que vous soyez son valet.
2. **Votre qualité :** votre condition sociale.
3. **Bastant :** capable.
4. **Ou vous verrez beau jeu :** ou vous le regretterez.

560 Il m'a fait le cœur ferme et sensible à l'honneur,
Et je suis homme à rendre un jour ce qu'on me prête.

ADRASTE

Quoi ! vous me menacez ?

CLINDOR

Non, non, je fais retraite.
D'un si cruel affront vous aurez peu de fruit,
Mais ce n'est pas ici qu'il faut faire du bruit.

REPÈRES

• C'est, à la scène 5, la troisième déclaration d'amour que reçoit Isabelle. Comparez l'attitude de la jeune fille dans les trois scènes.

OBSERVATION

• De quelle façon Isabelle, Clindor et Adraste parlent-ils désormais de Matamore ? D'où vient ce changement ?
• Cherchez dans les répliques d'Isabelle les allusions faites à Matamore et Adraste. De même, comparez l'usage fait par Clindor du mot « grandeur » aux vers 479 et 503. Sur quoi semble se fonder le discours amoureux des deux jeunes gens ?
• Quel caractère manifeste Isabelle au vers 516 ? À quel type d'héroïne se rattache-t-elle ici ?
• Étudiez le jeu des entrées et des sorties. Quel est à cet égard l'intérêt du mot « importun » (v. 518) ? Relevez les trois occurrences du terme « bannir » dans les deux scènes, et précisez-en le sens.
• Adraste est-il dupe des sentiments de Clindor pour Isabelle ? Notez la gradation de ses allusions, jusqu'à l'accusation franche qu'il fait aux vers 543-544.

INTERPRÉTATIONS

• **Le double aveu**

Les personnages ont-ils tout loisir de se confier longuement leur amour ? Dites pour quelles raisons (dépendant d'eux ou non) la scène d'aveu est ici abrégée.

• **La rivalité**

Quelle qualité Adraste reconnaît-il à Clindor ? Comment le traite-t-il cependant ? Pourquoi ? Quel genre de scène comique est esquissé et évité de justesse, à la fin ?

SCÈNE 7. ADRASTE, LISE.

ADRASTE

565 Ce bélître[1] insolent me fait encor bravade.

LISE

À ce compte, Monsieur, votre esprit est malade ?

ADRASTE

Malade, mon esprit ?

LISE

Oui, puisqu'il est jaloux

Du malheureux agent de ce prince des fous ?

ADRASTE

Je suis trop glorieux et crois trop d'Isabelle

570 Pour craindre qu'un valet me supplante auprès d'elle.

Je ne puis toutefois souffrir sans quelque ennui

Le plaisir qu'elle prend à rire avecque lui.

LISE

C'est dénier ensemble et confesser la dette[2].

ADRASTE

Nomme, si tu le veux, ma boutade indiscrète,

575 Et trouve mes soupçons bien ou mal à propos,

Je l'ai chassé d'ici pour me mettre en repos.

En effet, qu'en est-il ?

LISE

Si j'ose vous le dire,

Ce n'est plus que pour lui qu'Isabelle soupire.

ADRASTE

Ô Dieu, que me dis-tu ?

LISE

Qu'il possède son cœur,

580 Que jamais feux naissants n'eurent tant de vigueur,

Qu'ils meurent l'un pour l'autre et n'ont qu'une pensée.

---

1. **Bélître :** mendiant (terme injurieux).

2. **C'est dénier ensemble et confesser la dette :** « c'est nier et avouer en même temps », expression que Lise emploie pour signifier qu'Adraste se contredit.

ADRASTE

Trop ingrate beauté, déloyale, insensée,
Tu m'oses donc ainsi préférer un maraud ?

LISE

Ce rival orgueilleux le porte bien plus haut[1],
585 Et je vous en veux faire entière confidence :
Il se dit gentilhomme et riche.

ADRASTE

Ah ! l'impudence !

LISE

D'un père rigoureux fuyant l'autorité,
Il a couru longtemps d'un et d'autre côté ;
Enfin, manque d'argent peut-être, ou par caprice,
590 De notre Rodomont[2] il s'est mis au service,
Où, choisi pour agent de ses folles amours,
Isabelle a prêté l'oreille à ses discours.
Il a si bien charmé cette pauvre abusée
Que vous en avez vu votre ardeur méprisée.
595 Mais parlez à son père, et bientôt son pouvoir
Remettra son esprit aux termes du devoir.

ADRASTE

Je viens tout maintenant d'en tirer assurance
De recevoir les fruits de ma persévérance,
Et devant qu'il soit peu[3] nous en verrons l'effet.
600 Mais écoute, il me faut obliger tout à fait.

LISE

Où je vous puis servir, j'ose tout entreprendre.

ADRASTE

Peux-tu dans leurs amours me les faire surprendre ?

LISE

Il n'est rien plus aisé, peut-être dès ce soir.

1. **Le porte bien plus haut :** montre bien plus d'audace.
2. **Rodomont :** variante, « Fiérabras », autre type de guerrier fanfaron.
3. **Devant qu'il soit peu :** avant peu de temps.

ADRASTE

Adieu donc. Souviens-toi de me les faire voir.

605 Cependant prends ceci[1] seulement par avance.

LISE

Que le galant alors soit frotté[2] d'importance !

ADRASTE

Crois-moi qu'il se verra, pour te mieux contenter,

Chargé d'autant de bois qu'il en pourra porter.

SCÈNE 8. LISE.

L'arrogant croit déjà tenir ville gagnée,

610 Mais il sera puni de m'avoir dédaignée.

Parce qu'il est aimable, il fait le petit dieu,

Et ne veut s'adresser qu'aux filles de bon lieu[3] ;

Je ne mérite pas l'honneur de ses caresses :

Vraiment c'est pour son nez, il lui faut des maîtresses ;

615 Je ne suis que servante : et qu'est-il que valet ?

Si son visage est beau, le mien n'est pas trop laid ;

Il se dit riche et noble, et cela me fait rire :

Si loin de son pays, qui n'en peut autant dire ?

Qu'il le soit, nous verrons ce soir, si je le tiens,

620 Danser sous le cotret[4] sa noblesse et ses biens.

---

1. **Prends ceci :** ici, Adraste donne à Lise un diamant.
2. **Frotté :** rossé, frappé.
3. **De bon lieu :** de bonne famille.
4. **Cotret :** bâton.

Pridamant (Lucien Raimbourg) et Alcandre (Georges Ricquier). Mise en scène de Georges Wilson. Théâtre national de Paris, 1966.

SCÈNE 9. ALCANDRE, PRIDAMANT.

ALCANDRE

Le cœur vous bat un peu.

PRIDAMANT

Je crains cette menace.

ALCANDRE

Lise aime trop Clindor pour causer sa disgrâce.

PRIDAMANT

Elle en est méprisée et cherche à se venger.

ALCANDRE

Ne craignez point : l'amour la fera bien changer.

REPÈRES

• Situez le personnage de Lise : par quels liens se rattache-t-elle aux autres (Isabelle, Clindor) ? En quoi cela la pousse-t-il à rechercher l'alliance d'Adraste ?

OBSERVATION

• Relevez, dans la scène 7, les périphrases à l'aide desquelles Lise nomme Clindor, et commentez-les. Quel mot revient deux fois ? Pourquoi ? De son côté, comment Adraste désigne-t-il le jeune homme ? En quoi est-ce différent ?
• Quel rôle la servante joue-t-elle dans cette scène ? Cherchez le mot par lequel elle qualifie les propos qu'elle tient à Adraste. Ce mot vous paraît-il parfaitement adéquat ?
• Montrez comment Adraste, bien que grand seigneur, évolue ici vers un registre vulgaire propre à la comédie.
• Commentez le mot « charmé » (v. 593). À quelles figures permet-il d'identifier Clindor ?
• Lise en veut à Clindor pour deux raisons. Lesquelles ? Dans son monologue, quel terme à double sens désigne Isabelle ? La conception de l'amour que Lise prête à Clindor s'accorde-t-elle à celle que défendait Isabelle à la scène 5 ?

INTERPRÉTATIONS

• **L'être et le paraître**
Expliquez en quoi Clindor apparaît ici comme un héros paradoxal. Pourquoi peut-on dire que le point de vue d'Adraste et de Lise, pourtant personnages de rang très différents, est également « matérialiste » ?
• Quelle est l'utilité de la scène 9, au regard de la « menace » précédemment évoquée ? Montrez qu'Alcandre, maître des illusions, dissipe l'illusion que Lise se donne à elle-même.

Le déroulement du deuxième acte est encadré par les interventions d'Alcandre, qui étrangement réitère la même exhortation : « n'en ayez point d'effroi » (v. 215) et « Ne craignez point » (v. 624). C'est dire que l'ensemble de l'acte correspond à la montée du danger pour Clindor – et donc de la peur pour Pridamant. En cela, l'acte utilise bien un ressort propre à la tragi-comédie : le « suspens » provoqué par la menace d'une violence. Mais le risque encouru par Clindor est aussi bien comique, puisque c'est à une bastonnade que Lise le voue.
Entre-temps, les principaux personnages ont fait leur apparition. Les types en sont diversement comiques : le soldat fanfaron (Matamore), à l'extrême du burlesque ; le galant brutal (Adraste), portrait satirique du mauvais gentilhomme. Clindor, pourtant noble, joue le rôle d'un valet rusé, flatteur et entreprenant. Lise, servante et intrigante, combine deux caractères assez éloignés. Isabelle, enfin, type de la jeune fille aimable, opère sur trois modalités comiques différentes : insolente avec Adraste, ironique avec Matamore, et tendre avec Clindor.
Autre caractère tragi-comique, la multiplicité des intrigues amoureuses. Sur les cinq personnages en lice, tous sont ou bien se disent amoureux, mais seuls deux d'entre eux sont aimés, Isabelle et Clindor. Autrement dit, le terrain est préparé pour que diverses rivalités s'enclenchent et amènent conflits et règlements violents. Aussi les trois personnages malheureux en amour (Matamore, Adraste et Lise) sont-ils chacun de leur côté porteurs d'une certaine violence : le premier tout en paroles, le deuxième par le mariage forcé, la troisième par l'intrigue.
L'illusion, cependant, joue un rôle essentiel, seul à même d'aider les héros à vaincre les obstacles. Matamore est aveuglé par l'illusion de sa puissance guerrière ; Adraste par sa croyance en l'autoritarisme en amour ; Lise par l'ambivalence de ses sentiments.

ACTE III

SCÈNE PREMIÈRE. GÉRONTE, ISABELLE.

GÉRONTE

625 Apaisez vos soupirs et tarissez vos larmes ;
Contre ma volonté ce sont de faibles armes ;
Mon cœur, quoique sensible à toutes vos douleurs,
Écoute la raison et néglige vos pleurs.
Je connais votre bien beaucoup mieux que vous-même.
630 Orgueilleuse, il vous faut, je pense, un diadème !
Et ce jeune baron, avec tout son bien,
Passe encore chez vous pour un homme de rien !
Que lui manque après tout ? Bien fait de corps et d'âme,
Noble, courageux, riche, adroit et plein de flamme,
635 Il vous fait trop d'honneur.

ISABELLE

Je sais qu'il est parfait,
Et reconnais fort mal les honneurs qu'il me fait.
Mais, si votre bonté me permet en ma cause[1],
Pour me justifier, de dire quelque chose,
Par un secret instinct que je ne puis nommer
640 J'en fais beaucoup d'état, et ne le puis aimer.
De certains mouvements que le ciel nous inspire
Nous font aux yeux d'autrui souvent choisir le pire ;
C'est lui qui d'un regard fait naître en notre cœur
L'estime ou le mépris, l'amour ou la rigueur ;
645 Il attache ici bas avec des sympathies
Les âmes que son choix a là-haut assorties ;
On n'en saurait unir sans ses avis secrets,
Et cette chaîne manque où manquent ses décrets.

1. **En ma cause** : en ce qui me concerne.

Aller contre les lois de cette providence,
650 C'est le prendre à partie et blâmer sa prudence[1],
L'attaquer en rebelle et s'exposer aux coups
Des plus âpres malheurs qui suivent son couroux.

GÉRONTE

Impudente, est-ce ainsi que l'on se justifie ?
Quel maître vous apprend cette philosophie ?
655 Vous en savez beaucoup, mais votre savoir
Ne m'empêchera pas d'user de mon pouvoir.
Si le ciel pour mon choix vous donne tant de haine,
Vous a-t-il mise en feu pour ce grand capitaine ?
Ce guerrier valeureux vous tient-il dans ses fers,
660 Et vous a-t-il domptée avec tout l'univers ?
Ce fanfaron doit il relever[2] ma famille ?

ISABELLE

Eh ! de grâce, Monsieur, traitez mieux votre fille !

GÉRONTE

Quel sujet donc vous porte à me désobéir ?

ISABELLE

Mon heur[3] et mon repos que je ne puis trahir :
665 Ce que vous appelez un heureux hyménée[4]
N'est pour moi qu'un enfer, si j'y suis condamnée.

GÉRONTE

Ah ! qu'il en est encor de mieux faites que vous
Qui se voudraient bien voir dans un enfer si doux !
Après tout, je le veux, cédez à ma puissance.

ISABELLE

670 Faites un autre essai de mon obéissance.

GÉRONTE

Ne me répliquez plus quand j'ai dit : « Je le veux. »
Rentrez, c'est désormais trop contesté nous deux.

---

1. **Prudence :** sagesse.
2. **Relever :** faire honneur à.
3. **Heur :** forme courte de « bonheur », déjà vieillie à l'époque.
4. **Hyménée :** mariage (registre tragique).

SCÈNE 2. GÉRONTE.

Qu'à présent la jeunesse a d'étranges manies !
Les règles du devoir lui sont des tyrannies,
675 Et les droits les plus saints deviennent impuissants
À l'empêcher de courre après son propre sens[1].
Mais c'est l'humeur du sexe[2] : il aime à contredire
Pour secouer s'il peut le joug de notre empire,
Ne suit que son caprice en ses affections,
680 Et n'est jamais d'accord de nos élections[3].
N'espère pas pourtant, aveugle et sans cervelle,
Que ma prudence cède à ton esprit rebelle.
Mais ce fou viendra-t-il toujours m'embarrasser ?
Par force ou par adresse il me le faut chasser.

1. **Courre après son propre sens :** courir après ses sentiments.
2. **C'est l'humeur du sexe :** c'est le caractère des femmes.
3. **Nos élections :** nos choix.

REPÈRES

• Faites le point sur ce que l'on sait de Géronte avant l'acte III. Cherchez l'étymologie de son nom et montrez que c'est un personnage traditionnel de la comédie.

OBSERVATION

• Quel mode Géronte emploie-t-il au premier vers de la scène 1 ? Est-ce important ? Cherchez où ce mode réapparaît. De même, quel mot du vers 626 trouve un écho plus loin ?
• Relevez les termes dont le vieillard se sert pour appeler sa fille. Qu'en pensez-vous ?
• Cherchez différents indices de l'autoritarisme de Géronte dans la scène 1, puis dans son monologue (scène 2).
• De quelle autorité supérieure Isabelle se réclame-t-elle ? Par quels mots la désigne-t-elle ? Et Géronte, de quelles valeurs se réclame-t-il ?
• Que veut dire le père d'Isabelle par cette formule : « les droits les plus saints » (v. 675) ?
• De qui Géronte croit-il Isabelle amoureuse ? En quoi le choix de sa fille s'oppose-t-il à ses valeurs ? Et pourquoi Isabelle ne nomme-t-elle pas son véritable amant ?
• Notez les vers du monologue dans lesquels Géronte continue à s'adresser à sa fille partie. Pourquoi agit-il ainsi ?

INTERPRÉTATIONS

• Le conflit
À quelles catégories de personnes Géronte s'en prend-il particulièrement dans son monologue ? À quels lieux communs a-t-il recours pour caricaturer ses adversaires ?
• Le pouvoir
Montrez que le vieil homme cherche à se convaincre lui-même de son pouvoir, parce qu'il craint de l'avoir perdu.

SCÈNE 3. GÉRONTE, MATAMORE, CLINDOR.

MATAMORE, *à Clindor.*

685 N'auras-tu point enfin pitié de ma fortune ?
Le Grand Vizir[1] encor de nouveau m'importune ;
Le Tartare[2] d'ailleurs m'appelle à son secours ;
Narsingue et Calicut[3] m'en pressent tous les jours :
Si je ne les refuse, il me faut mettre en quatre.

CLINDOR

690 Pour moi je suis d'avis que vous les laissiez battre[4] :
Vous emploieriez trop mal vos invincibles coups
Si pour en servir un, vous faisiez trois jaloux.

MATAMORE

Tu dis bien, c'est assez de telles courtoisies ;
Je ne veux qu'en amour donner des jalousies.
695 Ah, Monsieur, excusez si, faute de vous voir,
Bien que si près de vous, je manquais au devoir.
Mais quelle émotion paraît sur ce visage ?
Où sont vos ennemis, que j'en fasse un carnage ?

GÉRONTE

Monsieur, grâces aux dieux, je n'ai point d'ennemis.

MATAMORE

700 Mais grâces à ce bras qui vous les a soumis.

GÉRONTE

C'est une grâce encor que j'avais ignorée.

MATAMORE

Depuis que ma faveur pour vous s'est déclarée,
Ils sont tous morts de peur, ou n'ont osé branler[5].

1. **Le Grand Vizir :** le Premier ministre, en Turquie.
2. **Le Tartare :** les Tartares, peuple de l'Asie centrale.
3. **Narsingue et Calicut :** royaumes de l'Inde.
4. **Battre :** se battre.
5. **Branler :** bouger.

GÉRONTE

C'est ailleurs maintenant qu'il vous faut signaler :
705 Il fait beau voir ce bras plus craint que le tonnerre
Demeurer si paisible en un temps plein de guerre,
Et c'est pour acquérir un nom bien relevé,
D'être dans une ville à battre le pavé !
Chacun croit votre gloire à faux titre usurpée,
710 Et vous ne passez plus que pour traîneur d'épée.

MATAMORE

Ah ventre[1] ! il est tout vrai que vous avez raison !
Mais le moyen d'aller, si je suis en prison.
Isabelle m'arrête, et ses yeux pleins de charmes
Ont captivé mon cœur et suspendu mes armes.

GÉRONTE

715 Si rien que son sujet ne vous tient arrêté,
Faites votre équipage[2] en toute liberté :
Elle n'est pas pour vous, n'en soyez point en peine.

MATAMORE

Ventre ! que dites-vous ? Je la veux faire reine !

GÉRONTE

Je ne suis pas d'humeur à rire tant de fois
720 Du grotesque récit de vos rares exploits.
La sottise ne plaît qu'alors qu'elle est nouvelle.
En un mot, faites reine une autre qu'Isabelle.
Si pour l'entretenir[3], vous venez plus ici...

MATAMORE

Il a perdu le sens de me parler ainsi !
725 Pauvre homme, sais-tu bien que mon nom effroyable
Met le Grand Turc en fuite et fait trembler le diable ?
Que, pour t'anéantir, je ne veux qu'un moment ?

1. **Ventre ! :** abréviation de « ventrebleu », juron.
2. **Faites votre équipage :** faites vos bagages.
3. **L'entretenir :** lui parler.

GÉRONTE

J'ai chez moi des valets à mon commandement
Qui se connaissant mal à faire des bravades,
730 Répondraient de la main à vos rodomontades[1].

MATAMORE, *à Clindor.*

Dis-lui ce que j'ai fait en mille et mille lieux.

GÉRONTE

Adieu, modérez-vous, il vous en prendra mieux ;
Bien que je ne sois pas de ceux qui vous haïssent,
J'ai le sang un peu chaud, et mes gens m'obéissent.

SCÈNE 4. MATAMORE, CLINDOR.

MATAMORE

735 Respect de ma maîtresse, incommode vertu,
Tyran de ma vaillance, à quoi me réduis-tu ?
Que n'ai-je eu cent rivaux à la place d'un père
Sur qui, sans t'offenser, laisser choir ma colère ?
Ha ! visible démon, vieux spectre décharné,
740 Vrai suppôt de Satan, médaille[2] de damné,
Tu m'oses donc bannir, et même avec menaces,
Moi de qui tous les rois briguent les bonnes grâces !

CLINDOR

Tandis qu'il est dehors, allez, dès aujourd'hui,
Causer de vos amours et vous moquer de lui.

MATAMORE

745 Cadédiou[3], ses valets feraient quelque insolence !

CLINDOR

Ce fer a trop de quoi dompter leur violence.

1. **Rodomontades :** vantardises (*cf.* note 2 p. 72).
2. **Médaille :** tête, visage.
3. **Cadédiou :** ancien juron gascon (« tête de Dieu »).

MATAMORE

Oui, mais les feux qu'il jette en sortant de prison[1]
Auraient en un moment embrasé la maison,
Dévoré tout à l'heure[2] ardoises et gouttières,
750 Faîtes, lattes, chevrons, montants, courbes, filières,
Entretoises, sommiers, colonnes, soliveaux,
Pannes, soles, appuis, jambages, traveteaux[3],
Portes, grilles, verrous, serrures, tuiles, pierre,
Plomb, fer, plâtre, ciment, peinture, marbre, verre,
755 Caves, puits, cours, perrons, salles, chambres, greniers,
Offices, cabinets, terrasses, escaliers :
Juge un peu quel désordre aux yeux de ma charmeuse !
Ces feux étoufferaient son ardeur amoureuse.
Va lui parler pour moi, toi qui n'es pas vaillant ;
760 Tu puniras à moins[4] un valet insolent.

CLINDOR

C'est m'exposer...

MATAMORE

Adieu, je vois ouvrir la porte,
Et crains que sans respect cette canaille sorte.

1. **Prison** : ici, fourreau (de l'épée).
2. **Tout à l'heure** : tout de suite.
3. **Filières** : sorte de poutrelles, **entretoises** : pièces de construction destinées à maintenir l'écartement entre deux éléments ; **sommiers** : grosses poutres ; **soliveaux, traveteaux** : pièces de bois soutenant, par exemple, un plancher ; **pannes, soles** : grosses poutres qui soutiennent les chevrons d'une charpente.
4. **À moins** : en faisant moins de mal.

REPÈRES

• En quoi les scènes précédentes laissent-elles entrevoir l'attitude de Géronte vis-à-vis de Matamore ?

OBSERVATION

• De quelle nouvelle fanfaronnade Matamore se rend-il coupable au début de la scène 3 ? Montrez la nécessité de cette surenchère.
• Citez deux indices de la maladresse de Matamore envers le père d'Isabelle. Quel effet cela a-t-il sur Géronte ?
• Comment Géronte s'adresse-t-il au capitan ? À plusieurs reprises, il cherche à le chasser : relevez dans quels vers et expliquez-en la progression.
• Matamore est-il habile en paroles ? Étudiez la façon dont il renverse la situation à son profit aux vers 711-714 et 735-736. À quoi Géronte oppose-t-il son adresse verbale, à la fin de la scène 3 ?
• Que fait le Gascon aux vers 739-740 ? Pourquoi ce passage n'a-t-il pas eu lieu plus tôt ?
• Donnez, dans la scène 4, deux exemples de la lâcheté de Matamore.

INTERPRÉTATIONS

• En quoi la situation de Matamore est-elle désormais comparable à celle de Clindor ? Si le début de la pièce semble dominé par les discours, quel genre d'événements attend-on maintenant ? Quelle en sera l'utilité ?

• **Le « grotesque » verbal**

Montrez comment la maîtrise de Matamore sur le langage, au-delà du comique, atteint des proportions monstrueuses.

SCÈNE 5. CLINDOR, LISE.

CLINDOR

Le souverain poltron, à qui pour faire peur
Il ne faut qu'une feuille, une ombre, une vapeur !
765 Un vieillard le maltraite, il fuit pour une fille,
Et tremble à tous moments de crainte qu'on l'étrille !
Lise, que ton abord doit être dangereux !
Il donne l'épouvante à ce cœur généreux[1],
Cet unique vaillant, la fleur des capitaines,
770 Qui dompte autant de rois qu'il captive de reines.

LISE

Mon visage est ainsi malheureux en attraits :
D'autres charment de loin, le mien fait peur de près.

CLINDOR

S'il fait peur à des fous, il charme les plus sages ;
Il n'est pas quantité de semblables visages ;
775 Si l'on brûle pour toi, ce n'est pas sans sujet ;
Je ne connus jamais un si gentil objet :
L'esprit beau, prompt, accort[2], l'humeur un peu railleuse,
L'embonpoint[3] ravissant, la taille avantageuse,
Les yeux doux, le teint vif et les traits délicats,
780 Qui serait le brutal qui ne t'aimerait pas ?

LISE

De grâce, et depuis quand me trouvez-vous si belle ?
Voyez bien, je suis Lise, et non pas Isabelle !

CLINDOR

Vous partagez vous deux mes inclinations :
J'adore sa fortune et tes perfections.

1. **Généreux :** noble, courageux.
2. **Accort :** habile.
3. **Embonpoint :** allure générale du corps.

LISE

785 Vous en embrassez trop[1] : c'est assez pour vous d'une,
Et mes perfections cèdent à sa fortune.

CLINDOR

Bien que pour l'épouser je lui donne ma foi,
Penses-tu qu'en effet je l'aime plus que toi ?
L'amour et l'hyménée ont diverse méthode :
790 L'un court au plus aimable, et l'autre au plus commode.
Je suis dans la misère, et tu n'as point de bien ;
Un rien s'assemble mal avec un autre rien.
Mais si tu ménageais ma flamme avec adresse,
Une femme est sujette, une amante est maîtresse.
795 Les plaisirs sont plus grands à se voir moins souvent ;
La femme les achète, et l'amante les vend ;
Un amour par devoir bien aisément s'altère ;
Les nœuds en sont plus forts quand il est volontaire ;
Il hait toute contrainte, et son plus doux appas
800 Se goûte quand on aime et qu'on peut n'aimer pas.
Seconde avec douceur celui que je te porte.

LISE

Vous me connaissez trop pour m'aimer de la sorte,
Et vous en parlez moins de votre sentiment
Qu'à dessein de railler par divertissement.
805 Je prends tout en riant comme vous me le dites.
Allez continuer cependant vos visites.

CLINDOR

Un peu de tes faveurs me rendrait plus content.

LISE

Ma maîtresse là-haut est seule, et vous attend.

CLINDOR

Tu me chasses ainsi !

LISE

Non, mais je vous envoie

1. **Vous en embrassez trop : vous en voulez trop (jeu de mots).**

810 Aux lieux où vous trouvez votre heur et votre joie.

CLINDOR

Que même tes dédains me semblent gracieux !

LISE

Ah ! que vous prodiguez un temps si précieux !
Allez...

CLINDOR

Souviens-toi donc...

LISE

De rien que m'ait pu dire...

CLINDOR

Un amant...

LISE

Un causeur qui prend plaisir à rire.

SCÈNE 6. LISE.

815 L'ingrat ! il trouve enfin mon visage charmant,
Et pour me suborner[1] il contrefait l'amant !
Qui hait ma sainte ardeur m'aime dans l'infamie,
Me dédaigne pour femme et me veut pour amie !
Perfide, qu'as-tu vu dedans mes actions
820 Qui te dût enhardir à ces prétentions ?
Qui t'a fait m'estimer digne d'être abusée,
Et juger mon honneur une conquête aisée ?
J'ai tout pris en riant, mais c'était seulement
Pour ne t'avertir pas de mon ressentiment.
825 Qu'eût produit son éclat[2] que de la défiance ?
Qui cache sa colère assure sa vengeance,
Et ma feinte douceur, te laissant espérer,
Te jette dans les rets que j'ai su préparer.

1. Suborner : manipuler, tromper.
2. Eclat : manifestation violente.

Va, traître, aime en tous lieux et partage ton âme,
830 Choisis qui tu voudras pour maîtresse et pour femme,
Donne à l'une ton cœur, donne à l'autre ta foi,
Mais ne crois plus tromper Isabelle ni moi.
Ce long calme bientôt va tourner en tempête,
Et l'orage est tout prêt à fondre sur ta tête :
835 Surpris par un rival dans ce cher entretien,
Il vengera d'un coup son malheur et le mien.
Toutefois qu'as-tu fait qui t'en rende coupable ?
Pour chercher sa fortune est-on si punissable ?
Tu m'aimes, mais le bien[1] te fait être inconstant :
840 Au siècle où nous vivons qui n'en ferait autant ?
Oublions les projets de sa flamme maudite,
Et laissons-le jouir du bonheur qu'il mérite.
Que de pensers divers en mon cœur amoureux,
Et que je sens dans l'âme un combat rigoureux !
845 Perdre qui me chérit ! épargner qui m'affronte !
Ruiner ce que j'aime ! aimer qui veut ma honte !
L'amour produira-t-il un si cruel effet ?
L'impudent rira-t-il de l'affront qu'il m'a fait ?
Mon amour me séduit[2], et ma haine m'emporte ;
850 L'une[3] peut tout sur moi, l'autre n'est pas moins forte.
N'écoutons plus l'amour pour un tel suborneur,
Et laissons à la haine assurer mon honneur.

1. **Le bien** : l'argent.
2. **Me séduit** : m'aveugle, me trompe.
3. **L'une** : l'amour (mot parfois féminin, à l'époque).

REPÈRES

• Qui s'attend-on à trouver, d'après la fin de la scène précédente ? Qui se présente en fait ? Quel est l'effet produit par ce décalage ?

OBSERVATION

• Expliquez l'expression « souverain poltron » (v. 763). À quels termes se rattache-t-elle dans le contexte ?
• À quel genre d'amour Lise fait-elle allusion quand elle dit « D'autres charment de loin » (v. 772) ? Montrez que son dépit amoureux se déguise sous des plaisanteries.
• Qualifiez le discours que tient Clindor à Lise, et citez-en quelques procédés.
• Étudiez la théorie que donne Clindor aux vers 789 et suivants. Sur quelles antinomies repose-t-elle ? Quel type de valet le héros incarne-t-il à cet instant ?
• Relevez les épithètes dont use Lise, dans son monologue, pour nommer Clindor. À partir de quel vers vous semble-t-elle changer d'opinion ? Quel mot l'indique ?
• Que suggère l'enchaînement des stichomythies à la fin de la scène 5 ?

INTERPRÉTATIONS

• **Clindor**
De quel défaut se rend-il apparemment coupable ? En quoi cela en fait-il un personnage « comique » ? Pourtant, quel est l'intérêt dramatique de son attitude envers Lise ?
• « J'ai tout pris en riant » (v. 823). Montrez que cette phrase trahit les sentiments contradictoires de Lise. En quoi la servante semble-t-elle « cornélienne » ? Cela est-il conciliable avec le verbe « rire » ici employé ?

SCÈNE 7. MATAMORE.

Les voilà, sauvons-nous ! Non, je ne vois personne.
Avançons hardiment. Tout le corps me frissonne.
855 Je les entends, fuyons. Le vent faisait ce bruit.
Coulons-nous en faveur des ombres[1] de la nuit.
Vieux rêveur, malgré toi j'attends ici ma reine.
Ces diables de valets me mettent bien en peine.
De deux mille ans et plus je ne tremblai si fort.
860 C'est trop me hasarder : s'ils sortent, je suis mort ;
Car j'aime mieux mourir que leur donner bataille,
Et profaner mon bras contre cette canaille.
Que le courage expose à d'étranges dangers !
Toutefois en tout cas je suis des plus légers ;
865 S'il ne faut que courir, leur attente est dupée ;
J'ai le pied pour le moins aussi bon que l'épée.
Tout de bon, je les vois. C'est fait, il faut mourir.
J'ai le corps tout glacé, je ne saurais courir.
Destin, qu'à ma valeur tu te montres contraire !
870 C'est ma reine, elle-même, avec mon secrétaire.
Tout mon corps se déglace. Écoutons leurs discours,
Et voyons son adresse à traiter mes amours.

SCÈNE 8. CLINDOR, ISABELLE, MATAMORE.

ISABELLE

Tout se prépare mal du côté de mon père ;
Je ne le vis jamais d'une humeur si sévère ;
875 Il ne souffrira plus votre maître ni vous.
Notre baron d'ailleurs est devenu jaloux,
Et c'est aussi pourquoi je vous ai fait descendre :

1. **En faveur des ombres** : en profitant de l'obscurité.

Dedans mon cabinet[1], ils nous pourraient surprendre ;
Ici nous causerons en plus de sûreté ;
880 Vous pourrez vous couler[2] d'un et d'autre côté,
Et, si quelqu'un survient, ma retraite est ouverte.

CLINDOR

C'est trop prendre de soin pour empêcher ma perte.

ISABELLE

Je n'en puis prendre trop pour conserver un bien
Sans qui tout l'univers ensemble ne m'est rien.
885 Oui, je fais plus d'état d'avoir gagné votre âme
Que si tout l'univers me connaissait pour dame[3].
Un rival par mon père attaque en vain ma foi,
Votre amour seul a droit de triompher de moi.
Des discours de tous deux je suis persécutée ;
890 Mais pour vous je me plais à être maltraitée ;
Il n'est point de tourments qui ne me semblent doux,
Si ma fidélité les endure pour vous.

CLINDOR

Vous me rendez confus, et mon âme ravie
Ne vous peut en revanche offrir rien que ma vie.
895 Mon sang est le seul bien qui me reste en ces lieux,
Trop heureux de le perdre en servant vos beaux yeux.
Mais si mon astre[4] un jour, changeant son influence,
Me donne un accès libre aux lieux de ma naissance,
Vous verrez que ce choix n'est pas tant inégal,
900 Et que, tout balancé[5], je vaux bien un rival.
Cependant, mon souci, permettez-moi de craindre
Qu'un père et ce rival ne veuillent vous contraindre.

---

1. **Cabinet :** petite pièce privée.
2. **Vous couler :** vous faufiler (pour fuir).
3. **Dame :** reine.
4. **Astre :** horoscope.
5. **Tout balancé :** tout bien pesé.

ISABELLE

J'en sais bien le remède, et croyez qu'en ce cas
L'un aura moins d'effet que l'autre n'a d'appas.
905 Je ne vous dirai point où[1] je suis résolue :
Il suffit que sur moi je me rends absolue,
Que leurs plus grands efforts sont des efforts en l'air,
Et que...

MATAMORE

C'est trop souffrir, il est temps de parler !

ISABELLE

Dieux ! on nous écoutait !

CLINDOR

C'est notre capitaine.
910 Je vais bien l'apaiser, n'en soyez pas en peine.

SCÈNE 9. MATAMORE, CLINDOR.

MATAMORE

Ah, traître !

CLINDOR

Parlez bas : ces valets...

MATAMORE

Eh bien, quoi ?

CLINDOR

Ils fondront tout à l'heure et sur vous et sur moi.

MATAMORE

Viens çà, tu sais ton crime, et qu'à l'objet que j'aime
Loin de parler pour moi, tu parlais pour toi-même.

CLINDOR

915 Oui, j'ai pris votre place et vous ai mis dehors.

1. Où : à quoi.

MATAMORE

Je te donne le choix de trois ou quatre morts.
Je vais d'un coup de poing te briser comme verre,
Ou t'enfoncer tout vif au centre de la Terre,
Ou te fendre en dix parts d'un seul coup de revers,
920 Ou te jeter si haut au-dessus des éclairs
Que tu sois dévoré des feux élémentaires[1].
Choisis donc promptement, et songe à tes affaires.

CLINDOR

Vous-même choisissez.

MATAMORE

Quel choix proposes-tu ?

CLINDOR

De fuir en diligence[2] ou d'être bien battu.

MATAMORE

925 Me menacer encor ! ah, ventre, quelle audace !
Au lieu d'être à genoux et d'implorer ma grâce !
Il a donné le mot, ces valets vont sortir !
Je m'en vais commander aux mers de t'engloutir.

CLINDOR

Sans vous chercher si loin un si grand cimetière,
930 Je vous vais de ce pas jeter dans la rivière.

MATAMORE

Ils sont d'intelligence, ah, tête[3].

CLINDOR

Point de bruit !

J'ai déjà massacré dix hommes cette nuit,
Et si vous me fâchez vous en croîtrez le nombre.

MATAMORE

Cadédiou, ce coquin[4] a marché dans mon ombre !
935 Il s'est fait tout vaillant d'avoir suivi mes pas.

1. **Feux élémentaires :** l'empyrée, la partie la plus haute du ciel.
2. **En diligence :** en vitesse.
3. **Tête :** juron.
4. **Coquin :** homme de basse condition.

S'il avait du respect, j'en voudrais faire cas.
Écoute, je suis bon, et ce serait dommage
De priver l'univers d'un homme de courage :
Demande-moi pardon et quitte cet objet
940 Dont les perfections m'ont rendu son sujet ;
Tu connais ma valeur, éprouve ma clémence.

CLINDOR

Plutôt, si votre amour a tant de véhémence,
Faisons deux coups d'épée au nom de sa beauté.

MATAMORE

Parbieu, tu me ravis de générosité !
945 Va, pour la conquérir n'use plus d'artifices,
Je te la veux donner pour prix de tes services.
Plains-toi dorénavant d'avoir un maître ingrat !

CLINDOR

À ce rare présent d'aise le cœur me bat.
Protecteur des grands rois, guerrier trop magnanime,
950 Puisse tout l'univers bruire de votre estime !

SCÈNE 10. ISABELLE, MATAMORE, CLINDOR.

ISABELLE

Je rends grâces au ciel de ce qu'il a permis
Qu'à la fin sans combat je vous vois bons amis.

MATAMORE

Ne pensez plus, ma reine, à l'honneur que ma flamme
Vous devait faire un jour de vous prendre pour femme :
955 Pour quelque occasion[1] j'ai changé de dessein ;
Mais je veux donner un homme de ma main[2].
Faites-en de l'état, il est vaillant lui-même :
Il commandait sous moi.

---

1. **Occasion** : raison.
2. **Un homme de ma main** : un homme qui est à mon service.

REPÈRES

• En quoi la scène 7 est-elle en rupture avec la précédente ? À quel épisode antérieur se rattache-t-elle ?
• Faites le point des opposants à l'amour d'Isabelle et de Clindor.

OBSERVATION

• Par quels procédés la peur de Matamore est-elle rendue à la scène 7 ? Continue-t-il cependant à s'imaginer en héros vaillant ? Au vers 862, quelle excuse trouve sa lâcheté ?
• Énumérez les preuves de la prévoyance d'Isabelle. Que paraît-elle avoir décidé ? Que laisse présager le vers 905 ?
• Analysez le contraste entre le danger dérisoire que court Matamore (scène 7) et le danger réel auquel sont exposés les amants (scène 8). Quel est l'effet dramatique de l'irruption de Matamore ?
• Notez, dans le discours d'Isabelle, les accents tragiques. Que marque la répétition « tout l'univers » ?
• Pourquoi Clindor est-il « confus » (v. 893) ? Comment peut s'interpréter le mot « sang » (v. 895) ? La suite de sa réplique révèle un obstacle supplémentaire à son amour : quel est-il ?
• Dans la scène 9, montrez que c'est désormais Clindor qui mène le jeu. Comment parle-t-il à Matamore au vers 915 ? Par quels autres moyens cherche-t-il à l'intimider ? Sa victoire est-elle aisée ?

INTERPRÉTATIONS

• Pourquoi peut-on dire que Clindor est un personnage en crise (situation sociale, relations avec les femmes, caractère) ?
• **La neutralisation de Matamore**
Pourquoi cet opposant change-t-il de camp ? Quelle contrepartie trouve-t-il ?

ISABELLE
Pour vous plaire, je l'aime.

CLINDOR
Mais il faut du silence à notre affection.

MATAMORE
960 Je vous promets silence et ma protection.
Avouez-vous de moi par tous les coins du monde :
Je suis craint à l'égal sur la terre et sur l'onde.
Allez, vivez contents sous une même loi.

ISABELLE
Pour mieux vous obéir, je lui donne ma foi.

CLINDOR
965 Commandez que sa foi soit d'un baiser suivie.

MATAMORE
Je le veux.

SCÈNE 11. GÉRONTE, ADRASTE, MATAMORE, CLINDOR, ISABELLE, LISE, TROUPE DE DOMESTIQUES.

ADRASTE
Ce baiser va te coûter la vie,
Suborneur !

MATAMORE
Ils ont pris mon courage en défaut.
Cette porte est ouverte, allons gagner le haut.

CLINDOR
Traître qui te fais fort d'une troupe brigande,
970 Je te choisirai bien au milieu de la bande !

GÉRONTE
Dieux ! Adraste est blessé, courez au médecin[1] !
Vous autres cependant, arrêtez l'assassin.

---

1. **Courez au médecin :** construction correcte à l'époque.

CLINDOR

Hélas, je cède au nombre ! Adieu, chère Isabelle !
Je tombe au précipice où mon destin m'appelle.

GÉRONTE

975 C'en est fait. Emportez ce corps à la maison.
Et vous, conduisez tôt ce traître à la prison.

SCÈNE 12. ALCANDRE, PRIDAMANT.

PRIDAMANT

Hélas ! mon fils est mort !

ALCANDRE

Que vous avez d'alarmes !

PRIDAMANT

Ne lui refusez point le secours de vos charmes.

ALCANDRE

Un peu de patience, et, sans un tel secours,
980 Vous le verrez bientôt heureux en ses amours.

REPÈRES

• La scène 10 semble consacrer l'amour d'Isabelle et de Clindor. Cependant, en quoi ce répit est-il illusoire ?

OBSERVATION

• Montrez que Matamore tient à garder l'initiative en paroles, après s'être lâchement effacé devant Clindor. Relevez les expressions qui marquent son goût pour le style protocolaire.
• Donnez un exemple de la déférence ironique d'Isabelle à son égard.
• À quelle situation fait penser la fin de la scène 10 ? Quel rôle le Gascon s'y réserve-t-il ?
• En quoi l'embuscade de la scène 11 était-elle prévisible ? Comment les trois personnages déjà en scène réagissent-ils ?
• Quel parti est défait ? Faites le bilan des « destins » supposés de chacun après cet événement.
• Relevez les termes injurieux employés et notez-en chaque fois l'énonciateur et l'objet. Quel mot de Géronte vous paraît injustement appliqué à Clindor ? Quelle nouvelle qualité vient de montrer, au contraire, le jeune héros ?

INTERPRÉTATIONS

• Définissez l'esthétique de la scène 10. Combien de personnages y participent ? Relevez les mots qui soulignent cet effet de masse. Tous parlent-ils ? Par ailleurs, quelle est sa durée ? Les répliques sont-elles abondantes ? Pourquoi ?
• De quelle scène antérieure peut-on rapprocher la scène 12 ? Les protagonistes sont-ils dans la même situation ? Quel effet produit-elle sur les spectateurs encore émus par la catastrophe survenue juste avant ?

L'acte III n'ajoute au précédent qu'un seul personnage nouveau, Géronte. C'est le type, traditionnel dans la comédie, du vieux père qui entend marier sa fille contre son gré. Mais il a par ailleurs des caractéristiques qui permettent d'ancrer la pièce dans le « romanesque » tragi-comique : d'abord, il n'est pas dupe et ne se laisse pas tromper par les amants ; ensuite, il a une fille bien plus résolue que de raison ; enfin, il est allié au seigneur Adraste, le seul des trois personnages « violents » qui soit vraiment menaçant.
De cette configuration découle le développement de l'acte jusqu'à son terme en forme de coup de théâtre : le complot est secrètement ourdi dès le début de l'acte, et c'est pour cela que Corneille en donne des indices successifs, qui ne seront pas compris par les amants. Encore une fois, c'est un jeu d'illusion : on a beau prévenir les victimes comme les spectateurs, tout le monde est pris de court à la scène 11 !
Premier indice : la haine vengeresse de Lise est désamorcée, ce qui permet à Clindor d'échapper à la menace du bâton. Second indice : le guet-apens manqué de Matamore, trahi par sa lâcheté, qui neutralise un autre des opposants à l'amour de Clindor et d'Isabelle. Ces deux succès portent la marque de l'illusion : les amants ont réussi à ranger de leur côté les deux personnages qui étaient précisément inoffensifs. Autrement dit, les héros ont perdu un acte entier à écarter deux faux dangers, au lieu d'affronter leurs vrais ennemis. Du succès illusoire découle logiquement l'échec véritable. En effet, pendant ce temps, Géronte et Adraste ont faussement disparu, ce qui suggère en fait qu'ils se tapissent dans l'ombre du complot. La désillusion sera terrible.
Le « roman », à cet instant, marque une pause et le mage reprend sa fonction de commentateur. Alcandre refuse d'agir pour sauver Clindor par la magie. Par un nouveau coup de théâtre, abstrait cette fois et destiné aux spectateurs (public et Pridamant), on apprend que la victoire d'Adraste et de Géronte, elle aussi, n'est qu'illusion !

ACTE IV

SCÈNE PREMIÈRE. ISABELLE.

Enfin le terme approche : un jugement inique
Doit faire agir demain un pouvoir tyrannique,
À son propre assassin immoler mon amant,
Et faire une vengeance au lieu d'un châtiment.
985 Par un décret injuste autant comme sévère,
Demain doit triompher la haine de mon père,
La faveur du pays, l'autorité du mort,
Le malheur d'Isabelle et la rigueur du sort.
Hélas ! que d'ennemis, et de quelle puissance,
990 Contre le faible appui que donne l'innocence,
Contre un pauvre inconnu, de qui tout le forfait
C'est de m'avoir aimée et d'être trop parfait !
Oui, Clindor, tes vertus et ton feu légitime,
T'ayant acquis mon cœur, ont fait aussi ton crime.
995 Contre elles un jaloux fit son traître dessein,
Et reçut le trépas qu'il portait dans ton sein.
Qu'il eût valu bien mieux à ta valeur trompée
Offrir ton estomac ouvert[1] à son épée,
Puisque loin de punir ceux qui t'ont attaqué,
1000 Les lois vont achever le coup qu'ils ont manqué !
Tu fusses mort alors, mais sans ignominie,
Ta mort n'eût point laissé ta mémoire ternie,
On n'eût point vu le faible opprimé du puissant,
Ni mon pays souillé du sang d'un innocent,
1005 Ni Thémis[2] endurer l'indigne violence
Qui pour l'assassiner emprunte sa balance.
Hélas ! et de quoi sert à mon cœur enflammé

1. **Estomac ouvert :** poitrine découverte.
2. **Thémis :** déesse de la Justice.

D'avoir fait un beau choix et d'avoir bien aimé,
Si mon amour fatal te conduit au supplice
1010 Et m'apprête à moi-même un mortel précipice !
Car en vain après toi l'on me laisse le jour,
Je veux perdre la vie en perdant mon amour,
Prononçant ton arrêt, c'est de moi qu'on dispose,
Je veux suivre ta mort puisque j'en suis la cause,
1015 Et le même moment verra par deux trépas
Nos esprits amoureux se rejoindre là-bas[1].
Ainsi, père inhumain, ta cruauté déçue
De nos saintes ardeurs verra l'heureuse issue,
Et si ma perte alors fait naître tes douleurs,
1020 Auprès de mon amant je rirai de tes pleurs ;
Ce qu'un remords cuisant te coûtera de larmes
D'un si doux entretien augmentera les charmes ;
Ou s'il n'a pas assez de quoi te tourmenter,
Mon ombre[2] chaque jour viendra t'épouvanter,
1025 S'attacher à tes pas dans l'horreur des ténèbres,
Présenter à tes yeux mille images funèbres,
Jeter dans ton esprit un éternel effroi,
Te reprocher ma mort, t'appeler après moi,
Accabler de malheurs ta languissante vie,
1030 Et te réduire au point de me porter envie.
Enfin...

1. **Là-bas :** aux enfers.
2. **Mon ombre :** mon fantôme.

REPÈRES

• « Enfin le terme approche » : quant au plan d'ensemble de la pièce, en quoi Isabelle se trompe-t-elle ? En quoi a-t-elle malgré tout raison ?

OBSERVATION

• Cherchez les différents temps verbaux utilisés dans la tirade d'Isabelle, et classez-les. Dans quel cas parle-t-elle au passé simple ? Quel mode emploie-t-elle aux vers 997 et suivants ? Pourquoi ? Envisage-t-elle au futur l'exécution de Clindor ? Pourquoi ? À quoi réserve-t-elle le futur ?
• Relevez tous les termes appartenant au lexique de la justice. Opposez ceux qui s'appliquent à Géronte et ceux qui renvoient à Clindor ? Pourquoi n'ont-ils pas la même valeur ?
• Dégagez le plan de la tirade. Par quelles étapes la jeune femme passe-t-elle ? Que vise successivement son discours ?
• Commentez la reprise du terme « enfin » au vers 1031.
• Qu'est-il advenu d'Adraste ? Citez les vers où Isabelle y fait allusion. Comment juge-t-elle le sort du gentilhomme ?
• Étudiez les visions fantastiques que se fait la jeune fille à la fin de la tirade. Que cherche-t-elle à compenser ?

INTERPRÉTATIONS

• Quel est l'intérêt dramaturgique d'avoir placé ce monologue en tête de l'acte IV ? Montrez que l'idée de la « fin » est ici obsédante, puis classez les éléments « finis » : quels sont ceux qui sont définitivement sortis de l'intrigue ? Quels sont ceux qui, par un coup de théâtre, peuvent réapparaître ?
• De quels moyens d'action Isabelle dispose-t-elle encore ? En quoi sa situation est-elle tragique ?

SCÈNE 2. ISABELLE, LISE.

LISE

Quoi ! chacun dort, et vous êtes ici !
Je vous jure, Monsieur en est en grand souci.

ISABELLE

Quand on n'a plus d'espoir, Lise, on n'a plus de crainte.
Je trouve des douceurs à faire ici ma plainte :
1035 Ici je vis Clindor pour la dernière fois ;
Ce lieu me redit mieux les accents de sa voix,
Et remet plus avant dans ma triste pensée
L'aimable souvenir de mon amour passée.

LISE

Que vous prenez de peine à grossir vos ennuis !

ISABELLE

1040 Que veux-tu que je fasse en l'état où je suis ?

LISE

De deux amants dont vous étiez servie,
L'un est mort, et l'autre demain perdra la vie :
Sans perdre plus de temps à soupirer pour eux,
Il en faut trouver un qui les vaille tous les deux.

ISABELLE

1045 Impudente, oses-tu me tenir ces paroles ?

LISE

Quel fruit espérez-vous de vos douleurs frivoles ?
Pensez-vous, pour pleurer et ternir vos appas,
Rappeler votre amant des portes du trépas ?
Songez plutôt à faire une illustre conquête ;
1050 Je sais pour vos liens une âme toute prête,
Un homme incomparable.

ISABELLE

Ôte-toi de mes yeux.

LISE

Le meilleur jugement ne choisirait pas mieux.

ISABELLE

Pour croître mes douleurs faut-il que je te voie ?

LISE

Et faut-il qu'à vos yeux je déguise ma joie ?

ISABELLE

1055 D'où te vient cette joie ainsi hors de saison ?

LISE

Quand je vous l'aurai dit, jugez si j'ai raison.

ISABELLE

Ah ! ne me conte rien !

LISE

Mais l'affaire vous touche.

ISABELLE

Parle-moi de Clindor ou n'ouvre point la bouche.

LISE

Ma belle humeur qui rit au milieu des malheurs
1060 Fait plus en un moment qu'un siècle de vos pleurs :
Elle a sauvé Clindor.

ISABELLE

Sauvé Clindor ?

LISE

Lui-même.

Et puis, après cela, jugez si je vous aime !

ISABELLE

Et de grâce, où faut-il que je l'aille trouver ?

LISE

Je n'ai que commencé, c'est à vous d'achever.

ISABELLE

1065 Ah, Lise !

LISE

Tout de bon, seriez-vous pour[1] le suivre ?

ISABELLE

Si je suivrais celui sans qui je ne puis vivre ?
Lise, si ton esprit ne le tire des fers,
Je l'accompagnerai jusque dans les enfers.

---

1. **Pour : prête à.**

Va, ne m'informe[1] plus si je suivrais sa fuite !

LISE

1070 Puisque à ce beau dessein l'amour vous a réduite,
Écoutez où j'en suis et secondez mes coups :
Si votre amant n'échappe, il ne tiendra qu'à vous.
La prison est fort proche.

ISABELLE

Eh bien ?

LISE

Le voisinage
Au frère du concierge a fait voir mon visage ;
1075 Et comme c'est tout un que me voir et m'aimer,
Le pauvre malheureux s'en est laissé charmer.

ISABELLE

Je n'en avais rien su !

LISE

J'en avais tant de honte
Que je mourais de peur qu'on vous en fît le conte.
Mais depuis quatre jours votre amant arrêté[2]
1080 A fait que, l'allant voir, je l'ai mieux écouté ;
Des yeux et du discours flattant son espérance,
D'un mutuel amour j'ai formé l'apparence :
Quand on aime une fois et qu'on se croit aimé,
On fait tout pour l'objet dont on est enflammé ;
1085 Par là j'ai sur son âme assuré mon empire,
Et l'ai mis en état de ne m'oser dédire.
Quand il n'a plus douté de mon affection,
J'ai fondé mes refus sur sa condition ;
Et lui, pour m'obliger, jurait de s'y déplaire ;
1090 Mais que malaisément il s'en pouvait défaire,
Que les clefs des prisons qu'il gardait aujourd'hui
Étaient le plus grand bien de son frère et de lui.
Moi de prendre mon temps, que sa bonne fortune

1. **Ne m'informe plus** : ne me demande plus.
2. **Votre amant arrêté** : l'arrestation de votre amant.

Ne lui pouvait offrir d'heure plus opportune ;
1095 Que, pour se faire riche et pour me posséder,
Il n'avait seulement qu'à s'en accommoder[1] ;
Qu'il tenait dans ses fers un seigneur de Bretagne
Déguisé sous le nom du sieur de la Montagne ;
Qu'il fallait le sauver et le suivre chez lui ;
1100 Qu'il nous ferait du bien et serait notre appui.
Il demeure étonné ; je le presse, il s'excuse[2] ;
Il me parle d'amour, et moi je le refuse ;
Je le quitte en colère, il me suit tout confus,
Me fait nouvelle excuse, et moi nouveau refus.

ISABELLE

1105 Mais enfin ?

LISE

J'y retourne, et le trouve fort triste ;
Je le juge ébranlé ; je l'attaque, il résiste.
Ce matin : « En un mot, le péril est pressant,
Ai-je dit ; tu peux tout, et ton frère est absent.
– Mais il faut de l'argent pour un si long voyage,
1110 M'a-t-il dit, il en faut pour faire l'équipage ;
Ce cavalier en manque. »

ISABELLE

Ah ! Lise tu devais
Lui faire offre en ce cas de tout ce que j'avais,
Perles, bagues, habits.

LISE

J'ai bien fait encor pire :
J'ai dit que c'est pour vous que ce captif soupire,
1115 Que vous l'aimez de même et fuiriez avec nous.
Ce mot me l'a rendu si traitable et si doux,
Que j'ai bien reconnu qu'un peu de jalousie

1. **S'en accommoder** : se décider (mais ce verbe signifie également « s'enrichir »).
2. **S'excuser** : refuser poliment.

Touchant votre Clindor brouillait sa fantaisie[1],
Et que tous ces délais provenaient seulement
1120 D'une vaine frayeur qu'il ne fût mon amant.
Il est parti soudain après votre amour sue,
A trouvé tout aisé, m'en a promis l'issue[2]
Qu'il allait y pourvoir, et que vers la minuit
Vous fussiez toute prête à déloger sans bruit.

ISABELLE

1125 Que tu me rends heureuse !

LISE

Ajoutez-y, de grâce,
Qu'accepter un mari pour qui je suis de glace,
C'est me sacrifier à vos contentements.

ISABELLE

Aussi...

LISE

Je ne veux point de vos remerciements.
Allez ployer[3] bagage, et n'épargnez en somme
1130 Ni votre cabinet ni celui du bonhomme[4].
Je vous vends ses trésors, mais à fort bon marché :
J'ai dérobé ses clefs depuis qu'il est couché ;
Je vous les livre.

ISABELLE

Allons faire le coup ensemble.

LISE

Passez-vous de mon aide.

ISABELLE

Eh quoi ! le cœur te tremble.

---

1. **Fantaisie :** imagination.
2. **Issue :** réussite.
3. **Ployer :** plier.
4. **Du bonhomme :** du vieil homme, c'est-à-dire Géronte (sans idée péjorative).

LISE

1135 Non, mais c'est un secret tout propre à l'éveiller :
Nous ne nous garderions jamais de babiller.

ISABELLE

Folle, tu ris toujours !

LISE

De peur d'une surprise,
Je dois attendre ici le chef de l'entreprise :
S'il tardait à la rue, il serait reconnu.
1140 Nous vous irons trouver dès qu'il sera venu.
C'est là sans raillerie[1].

ISABELLE

Adieu donc, je te laisse,
Et consens que tu sois aujourd'hui la maîtresse.

LISE

C'est du moins[2].

ISABELLE

Fais bon guet.

LISE

Vous, faites bon butin.

SCÈNE 3. LISE.

Ainsi, Clindor, je fais moi seule ton destin :
1145 Des fers où je t'ai mis, c'est moi qui te délivre,
Et te puis, à mon choix, faire mourir ou vivre.
On me vengeait de toi par-delà mes désirs ;
Je n'avais de dessein que contre tes plaisirs ;
Ton sort trop rigoureux m'a fait changer d'envie ;
1150 Je te veux assurer tes plaisirs et ta vie,

1. **C'est là sans raillerie :** je vous parle sérieusement.
2. **C'est du moins :** c'est la moindre des choses.

Et mon amour éteint, te voyant en danger,
Renaît pour m'avertir que c'est trop me venger.
J'espère aussi, Clindor, que pour reconnaissance,
Tu réduiras pour moi tes vœux dans l'innocence[1] ;
1155 Qu'un mari me tenant en sa possession,
Sa présence vaincra ta folle passion ;
Ou que, si cette ardeur encore te possède,
Ma maîtresse avertie y mettra bon remède.

1. **Dans l'innocence :** sans te rendre coupable d'un outrage.

REPÈRES

• Répertoriez les indications chronologiques dans la scène 2.
• Le lieu joue-t-il un rôle important ? À quoi le voyez-vous ?

OBSERVATION

• Comment s'exprime le deuil d'Isabelle ? Sur quel ton parle-t-elle d'abord à Lise ? Quel plaisir prend-elle à son malheur ? Relevez un vers en forme de maxime. Montrez que le verbe « grossir » (v. 1039) représente la dénonciation comique des prétentions tragiques d'Isabelle.
• Qu'indiquent les stichomythies à partir du vers 1051 ? Lise et Isabelle ont-elles ici le même rapport au temps ?
• Quel objet intervient par deux fois dans la scène ? Quelles actions programme-t-il ? Que symbolise-t-il ?
• Relevez des exemples de la « belle humeur » de Lise : rires, exaltation du moi, provocations, plaisanteries...
• L'argent : notez les termes s'y rapportant. Quel rôle joue-t-il dans l'action ? En quoi est-ce incompatible avec l'éthique de la tragédie ? Faites la liste des transactions engagées par Lise.
• Lise comédienne : montrez que la servante maîtrise le langage des feintes.
• Opposez le troisième monologue de Lise (scène 3) aux précédents.

INTERPRÉTATIONS

• Qui paraît ici la vraie héroïne, Isabelle ou Lise ? Faites le point des valeurs que chacune incarne. En quoi leur collaboration préfigure-t-elle l'issue heureuse de l'intrigue ?
• Quelle satisfaction Lise recherche-t-elle ? Montrez comment son monologue éclaire, sans les trahir, ses raisons d'agir.

SCÈNE 4. MATAMORE, ISABELLE, LISE.

ISABELLE

Quoi ! chez nous et de nuit !

MATAMORE

L'autre jour...

ISABELLE

Qu'est ceci,

1160 L'autre jour ? Est-il temps que je vous trouve ici ?

LISE

C'est ce grand capitaine ? Où s'est-il laissé prendre ?

ISABELLE

En montant l'escalier, je l'en ai vu descendre.

MATAMORE

L'autre jour, au défaut de mon affection,
J'assurai vos appas de ma protection.

ISABELLE

1165 Après ?

MATAMORE

On vint ici faire une brouillerie[1] ;
Vous rentrâtes, voyant cette forfanterie[2],
Et pour vous protéger je vous suivis soudain.

ISABELLE

Votre valeur prit lors un généreux dessein.
Depuis ?

MATAMORE

Pour conserver une dame si belle,
1170 Au plus haut du logis j'ai fait la sentinelle.

ISABELLE

Sans sortir ?

MATAMORE

Sans sortir.

1. **Brouillerie : émeute.**
2. **Forfanterie : méfait, acte violent.**

LISE

C'est-à-dire, en deux mots,
Qu'il s'est caché de peur dans la chambre aux fagots.

MATAMORE

De peur ?

LISE

Oui, vous tremblez, la vôtre est sans égale.

MATAMORE

Parce qu'elle a bon pas, j'en fais mon Bucéphale[1].
1175 Lorsque je la domptai, je lui fis cette loi,
Et depuis, quand je marche, elle tremble sous moi.

LISE

Votre caprice est rare à choisir des montures.

MATAMORE

C'est pour aller plus vite aux grandes aventures.

ISABELLE

Vous en exploitez bien[2], mais changeons de discours :
1180 Vous avez demeuré là-dedans quatre jours ?

MATAMORE

Quatre jours.

ISABELLE

Et vécu ?

MATAMORE

De nectar, d'ambroisie[3].

ISABELLE

Je crois que cette viande[4] aisément rassasie.

MATAMORE

Aucunement.

ISABELLE

Enfin vous étiez descendu...

1. **Bucéphale :** cheval dompté par Alexandre le Grand.
2. **Vous en exploitez bien :** vous en faites un exploit.
3. Le nectar était la boisson des dieux, et l'ambroisie leur nourriture.
4. **Viande :** aliment, en général.

MATAMORE

Pour faire qu'un amant en vos bras fût rendu,
1185 Pour rompre sa prison, en fracasser les portes,
Et briser en morceaux ses chaînes les plus fortes.

LISE

Avouez franchement que, pressé de la faim
Vous veniez bien plutôt faire la guerre au pain.

MATAMORE

L'un et l'autre, parbieu ! Cette ambroisie est fade ;
1190 J'en eus au bout d'un jour l'estomac tout malade.
C'est un mets délicat et de peu de soutien :
À moins que d'être un dieu, l'on n'en vivrait pas bien.
Il cause mille maux, et dès l'heure qu'il entre,
Il allonge les dents et rétrécit le ventre.

LISE

1195 Enfin, c'est un ragoût qui ne vous plaisait pas ?

MATAMORE

Quitte pour, chaque nuit, faire deux tours en bas,
Et là, m'accommodant des reliefs[1] de cuisine,
Mêler la viande humaine avecque la divine.

ISABELLE

Vous aviez, après tout, dessein de nous voler !

MATAMORE

1200 Vous-mêmes après tout m'osez vous quereller ?
Si je laisse une fois échapper ma colère...

ISABELLE

Lise, fais-moi sortir les valets de mon père.

MATAMORE

Un sot les attendrait.

1. Reliefs : restes.

SCÈNE 5. ISABELLE, LISE.

LISE

Vous ne le tenez pas.

ISABELLE

Il nous avait bien dit que la peur a bon pas.

LISE

1205 Vous n'avez cependant rien fait, ou peu de chose ?

ISABELLE

Rien du tout : que veux-tu, sa rencontre en est cause.

LISE

Mais vous n'aviez alors qu'à le laisser aller.

ISABELLE

Mais il m'a reconnue et m'est venu parler.
Moi qui, seule, et de nuit, craignais son insolence,
1210 Et beaucoup plus encor de troubler le silence,
J'ai cru, pour m'en défaire et m'ôter de souci,
Que le meilleur était de l'amener ici.
Vois, quand j'ai ton secours, que je me tiens vaillante,
Puisque j'ose affronter cette humeur violente !

LISE

1215 J'en ai ri comme vous, mais non sans murmurer :
C'est bien du temps perdu.

ISABELLE

Je le vais réparer.

LISE

Voici le conducteur de notre intelligence[1].
Sachez auparavant toute sa diligence.

1. **Notre intelligence :** ici, notre plan.

SCÈNE 6. ISABELLE, LISE, LE GEÔLIER.

ISABELLE

Eh bien, mon grand ami, braverons-nous le sort,
1220 Et viens-tu m'apporter ou la vie ou la mort ?
Ce n'est plus qu'en toi seul, que notre espoir se fonde.

LE GEÔLIER

Madame, grâce aux dieux, tout va le mieux du monde :
Il ne faut que partir, j'ai des chevaux tout prêts.
Et vous pourrez bientôt vous moquer des arrêts[1].

ISABELLE

1225 Ah ! que tu me ravis ! et quel digne salaire
Pourrais-je présenter à mon dieu tutélaire[2] ?

LE GEÔLIER

Voici la récompense où mon désir prétend[3].

ISABELLE

Lise, il faut se résoudre à le rendre content.

LISE

Oui, mais tout son apprêt nous est fort inutile :
1230 Comment ouvrirons-nous les portes de la ville ?

LE GEÔLIER

On nous tient des chevaux en main sûre aux faubourgs,
Et je sais un vieux mur qui tombe tous les jours :
Nous pourrons aisément sortir par ces ruines.

ISABELLE

Ah ! que je me trouvais sur d'étranges épines !

LE GEÔLIER

1235 Mais il faut se hâter.

ISABELLE

Nous partirons soudain.
Viens nous aider là-haut à faire notre main[4].

1. **Arrêts :** décision de justice, condamnation.
2. **Dieu tutélaire :** dieu protecteur.
3. Ici, le geôlier montre Lise.
4. **Main :** vol.

REPÈRES

• L'irruption de Matamore est-elle attendue cette fois ? Quelle conséquence a-t-elle sur les projets d'Isabelle et de Lise ?

OBSERVATION

• Quel rôle Matamore prétend-il jouer vis-à-vis d'Isabelle ? En est-il capable ? Depuis quel événement n'a-t-il pas reparu ? Pourquoi ?
• **Le franc-parler de Lise**
Comment la servante neutralise-t-elle les mensonges de Matamore ? Se défend-il de sa lâcheté ? Quelle impression laisse-t-il, en définitive, aux spectateurs ?
• Montrez qu'à travers Matamore, la comédie se rit de toute la littérature idéaliste et héroïque. Étudiez la façon dont les allusions historiques et mythologiques travestissent des réalités triviales. De quelle esthétique cela relève-t-il ?
• À quoi Lise fait-elle allusion au vers 1205 ? Pourquoi Matamore représentait-il, en l'occurrence, un danger ?
• En quoi le geôlier remplace-t-il Matamore dans le réseau des personnages ? De quoi pouvez-vous, par exemple, rapprocher ses « chevaux » (v. 1223) ? Donnez également une preuve de sa prévoyance.

INTERPRÉTATIONS

• Comment Isabelle se débarrasse-t-elle de Matamore ? Montrez que son éviction est devenue nécessaire, parce que ce personnage a perdu beaucoup de sa force comique.
• **Répit et contretemps**
Pourquoi ces trois scènes sont-elles empreintes d'une vive tension dramatique, même s'il ne s'y passe presque rien ?

SCÈNE 7. CLINDOR, *en prison*.

Aimables souvenirs de mes chères délices
Qu'on va bientôt changer en d'infâmes supplices,
Que, malgré les horreurs de ce mortel effroi,
1240 Vous avez de douceurs et de charmes pour moi !
Ne m'abandonnez point, soyez moi plus fidèles
Que les rigueurs du sort ne se montrent cruelles ;
Et, lorsque du trépas les plus noires couleurs
Viendront à mon esprit figurer mes malheurs,
1245 Figurez aussitôt à mon âme interdite
Combien je fus heureux par-delà mon mérite ;
Lorsque je me plaindrai de leur sévérité,
Redites-moi l'excès de ma témérité,
Que d'un si haut dessein ma fortune incapable
1250 Rendait ma flamme injuste et mon espoir coupable,
Que je fus criminel quand je devins amant,
Et que ma mort en est le juste châtiment.
Quel bonheur m'accompagne à la fin de ma vie !
Isabelle, je meurs pour vous avoir servie,
1255 Et, de quelque tranchant que je souffre les coups,
Je meurs trop glorieux, puisque je meurs pour vous !
Hélas ! que je me flatte, et que j'ai d'artifice
Pour déguiser la honte et l'horreur d'un supplice !
Il faut mourir enfin, et quitter ces beaux yeux
1260 Dont le fatal amour me rend si glorieux :
L'ombre d'un meurtrier cause encor ma ruine ;
Il succomba vivant et, mort, il m'assassine ;
Son nom fait contre moi ce que n'a pu son bras ;
Mille assassins nouveaux naissent de son trépas,
1265 Et je vois de son sang fécond en perfidies
S'élever contre moi des âmes plus hardies,
De qui les passions s'armant d'autorité
Font un meurtre public avec impunité !
Demain, de mon courage, ils doivent faire un crime,
1270 Donner au déloyal ma tête pour victime,

Et tous pour le pays prennent tant d'intérêt
Qu'il ne m'est pas permis de douter de l'arrêt.
Ainsi de tous côtés ma perte était certaine :
J'ai repoussé la mort, je la reçois pour peine ;
1275 D'un péril évité je tombe en un nouveau,
Et des mains d'un rival en celles d'un bourreau.
Je frémis au penser de ma triste aventure ;
Dans le sein du repos je suis à la torture ;
Au milieu de la nuit et du temps du sommeil
1280 Je vois de mon trépas le honteux appareil[1],
J'en ai devant les yeux les funestes ministres[2] ;
On me lit du Sénat les mandements[3] sinistres ;
Je sors les fers aux pieds, j'entends déjà le bruit
De l'amas insolent d'un peuple qui me suit ;
1285 Je vois le lieu fatal où ma mort se prépare ;
Là, mon esprit se trouble et ma raison s'égare ;
Je ne découvre rien propre à me secourir,
Et la peur de la mort me fait déjà mourir !
Isabelle, toi seule, en réveillant ma flamme,
1290 Dissipes ces terreurs et rassures mon âme !
Aussitôt que je pense à tes divins attraits,
Je vois évanouir[4] ces infâmes portraits[5].
Quelques rudes assauts que le malheur me livre,
Garde mon souvenir, et je croirai revivre.
1295 Mais d'où vient que de nuit on ouvre ma prison ?
Ami, que viens-tu faire ici hors de saison ?

---

1. **Appareil :** préparatifs.
2. **Ministres :** exécutants (ici, les bourreaux).
3. **Du Sénat les mandements :** les jugements du tribunal.
4. **Évanouir :** s'évanouir.
5. **Portraits :** visions, imaginations.

Un prisonnier (Jean Laugier) et Clindor (Victor Lanoux).
Mise en scène de Georges Wilson. Théâtre national populaire, 1966.
La présence du prisonnier, qui ne figure pas parmi les personnages de Corneille, est une idée de Georges Wilson.

SCÈNE 8. CLINDOR, LE GEÔLIER.

LE GEÔLIER

Les juges assemblés pour punir votre audace,
Mus de compassion, enfin vous ont fait grâce.

CLINDOR

M'ont fait grâce, bons dieux !

LE GEÔLIER

Oui, vous mourrez de nuit.

CLINDOR

1300 De leur compassion est-ce là tout le fruit !

LE GEÔLIER

Que de cette faveur vous tenez peu de compte !
D'un supplice public c'est vous sauver la honte.

CLINDOR

Quels encens puis-je offrir aux maîtres de mon sort,
Dont l'arrêt me fait grâce et m'envoie à la mort ?

LE GEÔLIER

1305 Il la faut recevoir avec meilleur visage.

CLINDOR

Fais ton office, ami, sans causer davantage.

LE GEÔLIER

Une troupe d'archers là-dehors vous attend ;
Peut-être en les voyant serez-vous plus content.

SCÈNE 9. CLINDOR, ISABELLE, LISE, LE GEÔLIER.

ISABELLE

Lise, nous l'allons voir !

LISE

Que vous êtes ravie !

REPÈRES

• L'unité de lieu a-t-elle été respectée ? Quel est l'intérêt de cette irrégularité ?

OBSERVATION

• Expliquez le contraste de la scène 7 avec les précédentes. En quoi ce décalage renforce-t-il l'isolement de Clindor et le pathétique de son monologue ?
• Dégagez brièvement le plan de la tirade. Montrez que le héros passe par des phases d'exaltation et d'angoisse.
• Qui Clindor apostrophe-t-il successivement ? Cherchez les différents passages du pluriel au singulier.
• Étudiez les déplacements sémantiques : « meurtrier » (v. 1261), « assassins » (v. 1264), « meurtre public » (v. 1268). Qui ces expressions désignent-elles ? Que paraît dénoncer ce monologue ?
• En quoi les vers 1274 et suivants insistent-ils sur l'idée de fatalité ?
• Relevez les occurrences de l'expression « je vois ». Quelle invocation annonce, dès le début, les visions de Clindor ?
• Notez quelques exemples de prouesses rhétoriques. En quoi révèlent-elles la difficulté de dire la mort ?

INTERPRÉTATIONS

• **Le monologue et la mort**
Comment la difficulté à représenter la mort est-elle rendue ? Quel est l'intérêt dramatique de cet ample tableau ?
• Analysez, dans les propos du geôlier (scène 8), les marques du double langage. Comment comprenez-vous le pronom « la » (v. 1305), et le mot « archers » (v. 1307) ?

ISABELLE

1310 Ne le serais-je point de recevoir la vie ?
Son destin et le mien prennent un même cours,
Et je mourrais du coup qui trancherait ses jours.

LE GEÔLIER

Monsieur, connaissez-vous beaucoup d'archers semblables ?

CLINDOR

Ma chère âme, est-ce vous ? Surprises adorables !
1315 Trompeur trop obligeant, tu disais bien vraiment
Que je mourrais de nuit, mais de contentement !

ISABELLE

Mon heur !

LE GEÔLIER

Ne perdons point le temps à ces caresses ;
Nous aurons tout loisir de baiser nos maîtresses.

CLINDOR

Quoi ! Lise est donc la sienne !

ISABELLE

Écoutez le discours[1]
1320 De votre liberté[2] qu'ont produit leurs amours.

LE GEÔLIER

En lieu de sûreté, le babil est de mise,
Mais ici, ne songeons qu'à nous ôter de prise[3].

ISABELLE

Sauvons-nous. Mais avant, promettez-nous tous deux
Jusqu'au jour d'un hymen de modérer vos feux.
1325 Autrement, nous rentrons.

CLINDOR

Que cela ne vous tienne :
Je vous donne ma foi.

LE GEÔLIER

Lise, reçois la mienne.

1. **Discours :** récit.
2. **Liberté :** libération.
3. **Nous ôter de prise :** éviter d'être pris.

ISABELLE
Sur un gage si bon, j'ose tout hasarder.
LE GEÔLIER
Nous nous amusons trop ; hâtons-nous d'évader[1].

SCÈNE 10. ALCANDRE, PRIDAMANT.

ALCANDRE
Ne craignez plus pour eux ni péril, ni disgrâces.
1330 Beaucoup les poursuivront, mais sans trouver leurs traces.
PRIDAMANT
À la fin, je respire.
ALCANDRE
Après un tel bonheur,
Deux ans les ont montés en haut degré d'honneur.
Je ne vous dirai point le cours de leurs voyages,
S'ils ont trouvé le calme ou vaincu les orages,
1335 Ni par quel art non plus ils se sont élevés ;
Il suffit d'avoir vu comme ils se sont sauvés,
Et que, sans vous en faire une histoire importune,
Je vous les vais montrer en leur haute fortune.
Mais, puisqu'il faut passer à des effets plus beaux,
1340 Rentrons pour évoquer des fantômes nouveaux :
Ceux que vous avez vus représenter de suite
À vos yeux étonnés leurs amours et leur fuite,
N'étant pas destinés aux hautes fonctions,
N'ont point assez d'éclat pour leurs conditions.

1. **Évader : fuir.**

REPÈRES

• Les retrouvailles de la scène 9 sont-elles surprenantes pour le spectateur ? Que laissent-elles à penser pour la suite ?

OBSERVATION

• Quel sentiment domine la scène 9 ? Tous les personnages le partagent-ils ? Par quels procédés se traduit-il spécialement (longueur des vers ; ponctuation...) ?
• Entend-on encore l'écho des scènes tragiques passées ? Si oui, sous quelle forme ? Notez le mode verbal souvent utilisé.
• Quel est le seul personnage à éprouver de la surprise ? Pourquoi ? Donnez-en des exemples. Quant au spectateur, qu'éprouve-t-il ici, en vertu de l'illusion théâtrale ?
• Clindor appelle le geôlier « trompeur trop obligeant ». De quel personnage cela peut-il annoncer le retour proche ?
• Pourquoi le geôlier repousse-t-il la proposition faite par Isabelle au vers 1320 ?
• Quel est l'avenir envisagé par les deux couples ?
• Quel personnage a disparu entre-temps ? Qui cette éviction doit-elle émouvoir et faire réfléchir particulièrement ?
• L'unité de temps est-elle respectée entre les actes IV et V ?
• Alcandre conclut l'acte IV en forme d'ellipse. Pourquoi ? Relevez les indices de la future condition des héros.

INTERPRÉTATIONS

• Deux intrigues trouvent ici leur dénouement, lesquelles ? Pourquoi peut-on dire qu'elles étaient enchâssées ?
• Faites le bilan des éléments qui suggèrent que la pièce se termine. Pourtant, quelle est la dernière action menée par les personnages ? En quoi frustre-t-elle aussi le public ?

Après la « catastrophe » de la fin de l'acte III, la situation paraît désespérée pour les amants. Premièrement, ils sont séparés, ce qui a pour conséquence dramaturgique de ne laisser, comme mode d'expression amoureuse, que la voie du monologue. En effet, Isabelle ouvre l'acte par un monologue, suivie, à la scène 7, par Clindor emprisonné. De leur situation vient naturellement la tonalité tout à fait tragique de ces monologues. Isabelle y entrevoit son seul salut : se suicider, ou plutôt, comme on dit en tragédie, « se faire justice ». Le thème de la justice est d'ailleurs omniprésent dans les deux monologues. Quant à Clindor, sa confrontation à la mort est encore plus concrète, puisqu'il s'y sait condamné.

Quelle est toutefois l'utilité de ces passages, puisqu'on connaît déjà le dénouement heureux de leur mésaventure ? Ici, on touche au cœur de l'esthétique tragi-comique : le spectateur a beau savoir que Clindor ne mourra pas, il ne peut tout à fait y croire. Cela tient à diverses raisons. D'abord, le foisonnement des péripéties qui, tantôt vraies, tantôt fausses, brouillent le sens interprétatif. Le procédé du théâtre illusoire baroque ne consiste pas à déclarer simplement que « tout est illusion », mais, bien au contraire, à laisser entendre qu'il y a une bonne part d'illusion, sans qu'on sache bien où ni quand. En outre, l'illusion se déplace au fil des scènes et des actes : ainsi, la réconciliation de Clindor et Lise, à l'acte III, était illusoire parce qu'elle ne pouvait rien contre le guet-apens final ; à l'acte IV, en revanche, Lise est devenue une « adjuvante » réelle : par son entremise le héros peut s'évader de la prison.

Par ailleurs, la longueur des tirades tragiques vise à elle seule le brouillage des repères : il y a une hypnose du texte tragique qui rejette à l'arrière-plan les promesses d'Alcandre. Il n'y a donc pas de rhétorique gratuite mais une volonté d'explorer tous les possibles d'une action, et c'est par un simple changement d'éclairage qu'un acte tragique prend fin sur une évasion des plus romanesques.

Alcandre (Raoul de Manez).
Mise en scène de Daniel Leveugle. Festival du Marais, 1969.

Acte V

Scène première. Alcandre, Pridamant.

Pridamant

1345 Qu'Isabelle est changée, et qu'elle est éclatante !

Alcandre

Lise marche après elle et lui sert de suivante.
Mais, derechef, surtout n'ayez aucun effroi,
Et de ce lieu fatal ne sortez qu'après moi :
Je vous le dis encore, il y va de la vie.

Pridamant

1350 Cette condition m'en ôtera l'envie.

Scène 2. Isabelle, Lise.

Lise

Ce divertissement n'aura-t-il point de fin,
Et voulez-vous passer la nuit dans ce jardin ?

Isabelle

Je ne puis cacher le sujet qui m'amène ;
C'est grossir mes douleurs que de taire ma peine :
1355 Le prince Florilame...

Lise

Eh bien, il est absent !

Isabelle

C'est la source des maux que mon âme ressent.
Nous sommes ses voisins, et l'amour qu'il nous porte
Dedans son grand jardin nous permet cette porte :
La princesse Rosine et mon perfide époux,
1360 Durant qu'il est absent, en font leur rendez-vous.
Je l'attends au passage, et lui ferai connaître

Que je ne suis pas femme à rien souffrir d'un traître.

LISE

Madame, croyez-moi, loin de le quereller,
Vous feriez beaucoup mieux de tout dissimuler.
1365 Ce n'est pas bien à nous d'avoir des jalousies :
Un homme en court plutôt après ses fantaisies ;
Il est toujours le maître, et tout votre discours,
Par un contraire effet, l'obstine en ses amours.

ISABELLE

Je dissimulerai son adultère flamme !
1370 Une autre aura son cœur, et moi le nom de femme !
Sans crime d'un hymen peut-il rompre la loi ?
Et ne rougit-il point d'avoir si peu de foi ?

LISE

Cela fut bon jadis, mais au temps où nous sommes,
Ni l'hymen ni la foi n'obligent plus les hommes.
1375 Madame, leur honneur a des règles à part :
Où le vôtre se perd, le leur est sans hasard,
Et la même action, entre eux et nous commune,
Est pour nous déshonneur, pour eux bonne fortune.
La chasteté n'est plus la vertu d'un mari ;
1380 La princesse du vôtre a fait son favori ;
Sa réputation croîtra par ses caresses ;
L'honneur d'un galant homme est d'avoir des maîtresses.

ISABELLE

Ôte-moi cet honneur et cette vanité
De se mettre en crédit[1] par l'infidélité.
1385 Si, pour haïr le change[2] et vivre sans amie,
Un homme comme lui tombe dans l'infamie,
Je le tiens glorieux d'être infâme à ce prix ;
S'il en est méprisé, j'estime ce mépris :
Le blâme que l'on reçoit d'aimer trop une femme
1390 Aux maris vertueux est un illustre blâme.

---

1. **Se mettre en crédit :** se faire bien voir.
2. **Le change :** le changement.

LISE

Madame, il vient d'entrer : la porte a fait du bruit.

ISABELLE

Retirons-nous, qu'il passe.

LISE

Il vous voit, et vous suit.

REPÈRES

• À partir de la seule scène 1, faites la part du changement et de la permanence entre les deux actes.
• Où se trouvent les personnages ? Quelles sont les (diverses) connotations attachées à ce lieu ?

OBSERVATION

• Que sont devenues Isabelle et Lise ? Notez les termes qui établissent leur évolution.
• De quels nouveaux personnages est-il question ? Quel est l'effet produit par l'absence de l'un d'eux ?
• À quoi peuvent aussi renvoyer les expressions « lieu fatal » (v. 1348) et « divertissement » (v. 1351) ?
• Trouvez au vers 1354 un écho d'une scène antérieure. Quel effet cela provoque-t-il chez le spectateur ?
• Distinguez les positions contradictoires de Lise et d'Isabelle quant à la « nouvelle morale » des hommes. Leur point de vue respectif correspond-il à ce que l'on sait d'elles ? Importe-t-il ici que Lise soit mariée à un ancien geôlier ?
• Relevez les antithèses dans le discours d'Isabelle.
• Quant à Clindor, est-on surpris de son comportement envers sa femme ? Pourquoi ?

INTERPRÉTATIONS

• **La seconde exposition**
Quels sont les éléments nouveaux explicitement introduits ? Quels sont ceux que le spectateur peut déduire seul ? En quoi la scène paraît-elle cependant étrange ?
• En quoi le schéma relationnel au sein du triangle Isabelle/Lise/Clindor est-il tout à fait inédit ?

SCÈNE 3. CLINDOR, ISABELLE, LISE.

CLINDOR

Vous fuyez, ma princesse, et cherchez des remises[1] !
Sont-ce là les faveurs que vous m'aviez promises ?
1395 Où sont tant de baisers dont votre affection
Devait être prodigue à ma réception[2] ?
Voici l'heure et le lieu, l'occasion est belle :
Je suis seul, vous n'avez que cette damoiselle
Dont la dextérité ménagea nos amours ;
1400 Le temps est précieux, et vous fuyez toujours !
Vous voulez, je m'assure, avec ces artifices,
Que les difficultés augmentent nos délices
À la fin, je vous tiens ! Quoi ! vous me repoussez !
Que craignez-vous encor ? mauvaise, c'est assez :
1405 Florilame est absent, ma jalouse endormie.

ISABELLE

En êtes-vous bien sûr ?

CLINDOR

Ah ! fortune ennemie !

ISABELLE

Je veille, déloyal, ne crois plus m'aveugler ;
Au milieu de la nuit, je ne vois que trop clair :
Je vois tous mes soupçons passer en certitudes,
1410 Et ne puis plus douter de tes ingratitudes.
Toi-même par ta bouche as trahi ton secret.
Ô l'esprit avisé pour un amant discret !
Et que c'est en amour une haute prudence,
D'en faire avec sa femme entière confidence !
1415 Où sont tant de serments de n'aimer rien que moi ?
Qu'as-tu fait de ton cœur ? Qu'as-tu fait de ta foi ?
Lorsque je la reçus, ingrat, qu'il te souvienne
De combien différaient ta fortune et la mienne,

1. **Remises : délais, tergiversations.**
2. **À ma réception : pour me recevoir.**

De combien de rivaux je dédaignai les vœux,
1420 Ce qu'un simple soldat pouvait être auprès d'eux,
Quelle tendre amitié je recevais d'un père :
Je l'ai quitté, pourtant, pour suivre ta misère,
Et je tendis les bras à mon enlèvement,
Ne pouvant être à toi de son consentement[1].
1425 En quelle extrémité depuis ne m'ont réduite
Les hasards dont le sort a traversé ta fuite
Et que n'ai-je souffert avant que le bonheur
Élevât ta bassesse à ce haut rang d'honneur !
Si pour te voir heureux[2], ta foi s'est relâchée,
1430 Rends-moi dedans le sein dont tu m'as arrachée :
Je t'aime, et mon amour m'a fait tout hasarder,
Non pas pour tes grandeurs, mais pour te posséder.

CLINDOR

Ne me reproche plus ta fuite, ni ta flamme :
Que ne fait point l'amour quand il possède une âme ?
1435 Son pouvoir à ma vue attachait tes plaisirs,
Et tu me suivais moins que tes propres désirs.
J'étais lors peu de chose, oui, mais qu'il te souvienne
Que ta fuite égala ta fortune à la mienne,
Et, que, pour t'enlever, c'était un faible appas
1440 Que l'éclat de tes biens qui ne te suivaient pas !
Je n'eus, de mon côté, que l'épée en partage,
Et ta flamme, du tien, fut mon seul avantage :
Celle-là m'a fait grand en ces bords étrangers ;
L'autre exposa ma tête en cent et cent dangers !
1445 Regrette maintenant ton père et tes richesses !
Fâche-toi de marcher à côté des princesses !
Retourne en ton pays, avecque tous tes biens,
Chercher un rang pareil à celui que tu tiens !
Qui te manque, après tout ? De quoi peux-tu te plaindre ?
1450 En quelle occasion m'as-tu vu te contraindre ?

---

1. **De son consentement** : avec le consentement (de Géronte).
2. **Si pour te voir heureux** : si parce que tu es heureux.

As-tu reçu de moi ni froideurs, ni mépris ?
Les femmes, à vrai dire, ont d'étranges esprits :
Qu'un mari les adore, et qu'une amour extrême
À leur bizarre humeur le soumette lui-même,
1455 Qu'il les comble d'honneurs et de bons traitements,
Qu'il ne refuse rien à leurs contentements,
Fait-il la moindre brèche à la foi conjugale,
Il n'est point, à leur gré, de crime qui l'égale :
C'est vol, c'est perfidie, assassinat, poison,
1460 C'est massacrer son père et brûler sa maison,
Et jadis des Titans l'effroyable supplice
Tomba sur Encelade[1] avec moins de justice.

ISABELLE

Je te l'ai déjà dit, que toute ta grandeur
Ne fut jamais l'objet de ma sincère ardeur :
1465 Je ne suivais que toi quand je quittai mon père.
Mais puisque ces grandeurs t'ont fait l'âme légère,
Laisse mon intérêt, songe à qui tu les dois.
Florilame lui seul t'a mis où tu te vois :
À peine il te connut qu'il te tira de peine ;
1470 De soldat vagabond, il te fit capitaine,
Et le rare bonheur qui suivit cet emploi
Joignit à ses faveurs les faveurs de son roi ;
Quelle forte amitié n'a-t-il point fait paraître
À cultiver depuis ce qu'il avait fait naître !
1475 Par ses soins redoublés n'es-tu pas aujourd'hui
Un peu moindre de rang, mais plus puissant que lui ?
Il eût gagné par là l'esprit le plus farouche,
Et pour remerciement tu vas souiller sa couche ?
Dans ta brutalité trouve quelque raison,
1480 Et contre ses faveurs défends ta trahison.
Il t'a comblé de biens, tu lui voles son âme ;

1. **Encelade** : géant mythologique qui s'attaqua aux dieux de l'Olympe et fut précipité sous l'Etna. Contrairement à ce que suggère Corneille, Encelade n'est pas l'un des Titans, eux aussi révoltés contre Jupiter et vaincus à la fin.

Il t'a fait grand seigneur, et tu le rends infâme.
Ingrat, c'est donc ainsi que tu rends les bienfaits,
Et ta reconnaissance a produit ces effets !

CLINDOR

1485 Mon âme (car encor ce beau nom te demeure,
Et te demeurera jusqu'à tant que je meure),
Crois-tu qu'aucun respect ou crainte du trépas
Puisse obtenir sur moi ce que tu n'obtiens pas ?
Dis que je suis ingrat, appelle-moi parjure,
1490 Mais à nos feux sacrés ne fais plus tant d'injure :
Ils conservent encor leur première vigueur.
Je t'aime, et si l'amour qui m'a surpris le cœur[1]
Avait pu s'étouffer au point de sa naissance,
Celui que je te porte eût eu cette puissance.
1495 Mais en vain contre lui l'on tâche à résister :
Toi-même as éprouvé qu'on ne le peut dompter.
Ce dieu qui te força d'abandonner ton père,
Ton pays et tes biens pour suivre ma misère,
Ce dieu même à présent malgré moi m'a réduit
1500 À te faire un larcin des plaisirs d'une nuit.
À mes sens déréglés souffre cette licence.
Une pareille amour meurt dans la jouissance ;
Celle dont la vertu n'est point le fondement
Se détruit de soi-même et passe en un moment ;
1505 Mais celle qui nous joint est une amour solide,
Où l'honneur a son lustre, où la vertu préside,
Dont les fermes liens durent jusqu'au trépas,
Et dont la jouissance a de nouveaux appas.
Mon âme, derechef, pardonne à la surprise
1510 Que ce tyran des cœurs a faite à ma franchise ;
Souffre une folle ardeur qui ne vivra qu'un jour
Et n'affaiblit en rien un conjugal amour.

1. **L'amour qui m'a surpris le cœur** : celui que Clindor éprouve pour Rosine.

ISABELLE

Hélas ! que j'aide bien à m'abuser moi-même !
Je vois qu'on me trahit, et je crois que l'on m'aime ;
1515 Je me laisse charmer à ce discours flatteur,
Et j'excuse un forfait dont j'adore l'auteur !
Pardonne, cher époux, au peu de retenue
Où d'un premier transport la chaleur est venue :
C'est en ces accidents[1] manquer d'affection
1520 Que de les voir sans trouble et sans émotion.
Puisque mon teint se fane et ma beauté se passe,
Il est bien juste aussi que ton amour se lasse ;
Et même, je croirai que ce feu passager
En l'amour conjugal ne pourra rien changer.
1525 Songe un peu toutefois à qui ce feu s'adresse,
En quel péril te jette une telle maîtresse ;
Dissimule, déguise et sois amant discret.
Les grands en leur amour n'ont jamais de secret :
Ce grand train[2] qu'à leurs pas leur grandeur propre attache
1530 N'est qu'un grand corps tout d'yeux à qui rien ne se cache,
Et dont il n'est pas un qui ne fît son effort
À se mettre en faveur par un mauvais rapport.
Tôt ou tard Florilame apprendra tes pratiques
Ou de sa défiance ou de ses domestiques,
1535 Et lors (à ce penser je frissonne d'horreur)
À quelle extrémité n'ira point sa fureur !
Puisque à ces passe-temps ton humeur te convie,
Cours après tes plaisirs, mais assure ta vie ;
Sans aucun sentiment je te verrai changer,
1540 Pourvu qu'à tout le moins tu changes sans danger.

CLINDOR

Encor une fois donc tu veux que je te die[3]
Qu'auprès de mon amour je méprise ma vie ?

---

1. **En ces accidents :** en ces circonstances.
2. **Ce grand train :** la cour.
3. **Die :** dise.

Mon âme est trop atteinte, et mon cœur trop blessé,
Pour craindre les périls dont je suis menacé.
1545 Ma passion m'aveugle, et pour cette conquête
Croit hasarder trop peu de hasarder ma tête ;
C'est un feu que le temps pourra seul modérer ;
C'est un torrent qui passe, et ne saurait durer.

ISABELLE

Eh bien, cours au trépas, puisqu'il a tant de charmes
1550 Et néglige ta vie aussi bien que mes larmes.
Penses-tu que ce prince, après un tel forfait,
Par ta punition se tienne satisfait ?
Qui sera mon appui lorsque ta mort infâme
À sa juste vengeance exposera ta femme,
1555 Et que sur la moitié[1] d'un perfide étranger,
Une seconde fois il croira se venger ?
Non, je n'attendrai pas que ta perte certaine
Attire encore sur moi les restes de ta peine,
Et que de mon honneur gardé si chèrement
1560 Il fasse un sacrifice à son ressentiment.
Je préviendrai[2] la honte où ton malheur me livre,
Et saurai bien mourir, si tu ne veux pas vivre.
Ce corps, dont mon amour t'a fait le possesseur,
Ne craindra plus bientôt l'effort[3] d'un ravisseur ;
1565 J'ai vécu pour t'aimer, mais non pour l'infamie
De servir[4] au mari de ton illustre amie.
Adieu, je vais du moins, en mourant devant toi,
Diminuer ton crime et dégager ta foi.

CLINDOR

Ne meurs pas, chère épouse, et dans un second change
1570 Vois l'effet merveilleux où ta vertu me range.
M'aimer malgré mon crime, et vouloir par ta mort

1. **La moitié :** l'épouse.
2. **Je préviendrai :** j'éviterai (en anticipant).
3. **Effort :** violence.
4. **Servir (à) :** être l'esclave (de).

Éviter le hasard de quelque indigne effort !
Je ne sais qui je dois admirer davantage
Ou de ce grand amour, ou de ce grand courage :
1575 Tous les deux m'ont vaincu, je reviens sous tes lois,
Et la brutale ardeur va rendre les abois[1].
C'en est fait, elle expire, et mon âme plus saine
Vient de rompre les nœuds de sa honteuse chaîne.
Mon cœur, quand il fut pris, s'était mal défendu.
1580 Perds-en le souvenir.

ISABELLE

Je l'ai déjà perdu.

CLINDOR

Que les plus beaux objets[2] qui soient dessus la terre
Conspirent désormais à lui faire la guerre,
Ce cœur, inexpugnable aux assauts de leurs yeux,
N'aura plus que les tiens pour maîtres et pour dieux !
1585 Que leurs attraits unis...

LISE

La princesse s'avance,
Madame.

CLINDOR

Cachez-vous, et nous faites silence.
Écoute-nous, mon âme, et par notre entretien
Juge si son objet m'est plus cher que le tien.

1. **Rendre les abois** : s'éteindre, mourir.
2. **Les plus beaux objets** : les plus belles femmes.

REPÈRES

• L'arrivée de Clindor est-elle attendue ? Et ses reproches ? Pour qui Corneille nous fait-il prendre parti ?

OBSERVATION

• Commentez « ma princesse » (v. 1393). Notez les deux occurrences d'« ingrat » et expliquez-les. Relevez les autres apostrophes de la scène et classez-les. Repérez le passage du « vous » au « tu », et justifiez-le.
• Comment Isabelle cherche-t-elle à humilier Clindor ? Citez un exemple de moquerie. À deux reprises, elle fait allusion à l'ancien état de son mari : où ? Quels termes péjoratifs sont utilisés ? Quelle figure de style illustre-t-elle dans la formule « suivre ta misère » (v. 1422). Où ce vers est-il répété ?
• Comparez les deux vers où les époux déclarent leur amour.
• Quel mode Clindor emploie-t-il aux vers 1445 et suivants ? Que fait-il, en paroles ? Isabelle n'a-t-elle pas déjà évoqué cette issue ? Quel danger menace le couple ?
• Relevez les échos tragiques : allusions aux crimes (commis ou non dans les actes précédents) ; présence de la mort.

INTERPRÉTATIONS

• **Isabelle, tragédienne à l'essai**
Dans quels rôles successifs apparaît-elle ? Lequel émeut seul son mari ? Quel destin s'y réserve-t-elle ? En quoi le sort de l'époux s'accorderait-il ?
• Reconstituez la chronologie des deux ans écoulés entre l'acte IV et l'acte V d'après les anamnèses d'Isabelle.
• Pourquoi ne s'agit-il pas seulement d'une scène de ménage ? Quels éléments viennent compliquer la relation conjugale ?

SCÈNE 4. CLINDOR, ROSINE.

ROSINE

Débarrassée enfin d'une importune suite,
1590 Je remets à l'amour le soin de ma conduite,
Et, pour trouver l'auteur de ma félicité,
Je prends un guide aveugle en cette obscurité.
Mais que son épaisseur me dérobe la vue !
Le moyen de le voir, ou d'en être aperçue !
1595 Voici la grande allée, il devrait être ici,
Et j'entrevois quelqu'un. Est-ce toi, mon souci ?

CLINDOR

Madame, ôtez ce mot dont la feinte se joue[1],
Et que votre vertu dans l'âme désavoue.
C'est assez déguisé, ne dissimulez plus
1600 L'horreur que vous avez de mes feux dissolus.
Vous avez voulu voir jusqu'à quelle insolence
D'une amour déréglée irait la violence ;
Vous l'avez vu, Madame, et c'est pour la punir
Que vos ressentiments vous font ici venir ;
1605 Faites sortir vos gens destinés à ma perte,
N'épargnez point ma tête, elle vous est offerte ;
Je veux bien par ma mort apaiser vos beaux yeux,
Et ce n'est pas l'espoir qui m'amène en ces lieux.

ROSINE

Donc, au lieu d'un amour rempli d'impatience,
1610 Je ne rencontre en toi que de la défiance ?
As-tu l'esprit troublé de quelque illusion ?
Est-ce ainsi qu'un guerrier tremble à l'occasion[2] ?
Je suis seule, et toi seul : d'où te vient cet ombrage ?
Te faut-il de ma flamme un plus grand témoignage ?
1615 Crois que je suis sans feinte à toi jusqu'à la mort.

1. **Se joue** : s'amuse.
2. **À l'occasion** : au combat.

CLINDOR
Je me garderai bien de vous faire ce tort ;
Une grande princesse a la vertu plus chère.

ROSINE
Si tu m'aimes, mon cœur, quitte cette chimère.

CLINDOR
Ce n'en est point, Madame, et je crois voir en vous
1620 Plus de fidélité pour un si digne époux.

ROSINE
Je la quitte pour toi. Mais, dieux ! que je m'abuse
De ne pas voir encor qu'un ingrat me refuse !
Son cœur n'est plus que glace, et mon aveugle ardeur
Impute à défiance un excès de froideur.
1625 Va, traître, va, parjure, après m'avoir séduite,
Ce sont là des discours d'une mauvaise suite !
Alors que je me rends, de quoi me parles-tu,
Et qui t'amène ici me prêcher la vertu ?

CLINDOR
Mon respect, mon devoir et ma reconnaissance
1630 Dessus mes passions ont eu cette puissance ;
Je vous aime, Madame, et mon fidèle amour
Depuis qu'on l'a vu naître, a crû de jour en jour ;
Mais que ne dois-je point au prince Florilame !
C'est lui dont le respect triomphe de ma flamme,
1635 Après que sa faveur m'a fait ce que je suis...

ROSINE
Tu t'en veux souvenir pour me combler d'ennuis.
Quoi ! son respect peut plus que l'ardeur qui te brûle ?
L'incomparable ami, mais l'amant ridicule,
D'adorer une femme, et s'en voir si chéri,
1640 Et craindre au rendez-vous d'offenser un mari !
Traître, il n'en est plus temps ! Quand tu me fis paraître
Cette excessive amour qui commençait à naître,
Et que le doux appas d'un discours suborneur,
Avec un faux mérite attaqua mon honneur,
1645 C'est lors qu'il te fallait à ta flamme infidèle

Rosine (Janine Patrick) et Clindor (Michel Ruhl).
Mise en scène de Daniel Leveugle. Festival du Marais, 1969.

Opposer le respect d'une amitié si belle,
Et tu ne devais pas attendre à l'écouter[1]
Quand[2] mon esprit charmé ne le pourrait goûter !
Tes raisons vers tous deux sont de faibles défenses :
1650 Tu l'offensas alors, aujourd'hui tu m'offenses ;
Tu m'aimais plus que lui, tu l'aimes plus que moi.
Crois-tu donc à mon cœur donner ainsi la loi,
Que ma flamme à ton gré s'éteigne ou s'entretienne,
Et que ma passion suive toujours la tienne ?
1655 Non, non, usant si mal de ce qui t'est permis,
Loin d'en éviter un, tu fais deux ennemis.
Je sais trop les moyens d'une vengeance aisée :
Phèdre contre Hippolyte aveugla bien Thésée[3],
Et ma plainte armera plus de sévérité
1660 Avec moins d'injustice et plus de vérité.

CLINDOR

Je sais bien que j'ai tort, et qu'après mon audace,
Je vous fais un discours de fort mauvaise grâce,
Qu'il sied mal à ma bouche et que ce grand respect
Agit un peu bien tard pour n'être point suspect.
1665 Mais pour souffrir plutôt la raison dans mon âme,
Vous aviez trop d'appas, et mon cœur trop de flamme :
Elle n'a triomphé qu'après un long combat.

ROSINE

Tu crois donc triompher lorsque ton cœur s'abat[4] ?
Si tu nommes victoire un manque de courage,
1670 Appelle encor service un si cruel outrage,
Et puisque me trahir c'est suivre la raison,
Dis-moi que tu me sers par cette trahison !

1. **À l'écouter :** pour l'écouter.
2. **Quand :** le moment où.
3. Repoussée par Hippolyte, son beau-fils qu'elle aime avec passion, Phèdre le calomnie et incite son mari Thésée à le faire périr.
4. **Lorsque ton cœur s'abat :** lorsque le courage te manque.

CLINDOR

Madame, est-ce vous rendre un si mauvais service
De sauver votre honneur d'un mortel précipice ?
1675 Cet honneur qu'une dame a plus cher que les yeux !

ROSINE

Cesse de m'étourdir de ces noms odieux !
N'as-tu jamais appris que ces vaines chimères
Qui naissent aux cerveaux des maris et des mères,
Ces vieux contes d'honneur, n'ont point d'impression
1680 Qui puissent arrêter les fortes passions ?
Perfide, est-ce de moi que tu le dois apprendre ?
Dieux ! jusques où l'amour ne me fait point descendre !
Je lui tiens des discours qu'il me devrait tenir,
Et toute mon ardeur ne peut rien obtenir !

CLINDOR

1685 Par l'effort que je fais à mon amour extrême,
Madame, il faut apprendre à vous vaincre vous-même,
À faire violence à vos plus chers désirs,
Et préférer l'honneur à d'injustes plaisirs,
Dont au moindre soupçon, au moindre vent contraire,
1690 La honte et les malheurs sont la suite ordinaire.

ROSINE

De tous ces accidents rien ne peut m'alarmer,
Je consens de périr à force de t'aimer.
Bien que notre commerce[1] aux yeux de tous se cache,
Qu'il vienne en évidence et qu'un mari le sache,
1695 Que je demeure en butte à ses ressentiments,
Que sa fureur me livre à de nouveaux tourments,
J'en souffrirai plutôt l'infamie éternelle
Que de me repentir d'une flamme si belle.

1. Commerce : liaison.

REPÈRES

• En quoi l'arrivée de Rosine contredit-elle certains propos de Clindor à la scène 3 ?
• Isabelle assiste-t-elle à la scène ?

OBSERVATION

• À qui s'adresse Rosine dans sa première réplique ? Qui nomme-t-elle « guide aveugle » ? En quoi cette formule précieuse est-elle cruellement exacte ?
• Expliquez la litote au vers 1608. Pourquoi Clindor y a-t-il recours ? Quelle contrepartie offre-t-il à Rosine ?
• Comparez le ton sur lequel se parlent les amants. D'où vient leur décalage ?
• Comment Rosine interprète-t-elle successivement l'attitude de Clindor ? Envisage-t-elle par elle-même l'explication fournie par le héros ? Pourquoi ?
• Expliquez les parallélismes aux vers 1650-1651. Que veut dire Rosine ? En quoi cela est-il tragique ?
• En quoi la référence à Phèdre souligne-t-elle le ton tragique de la scène ? En quoi le met-elle aussi à distance ?
• Commentez le vers 1682. Comment Rosine y apparaît-elle ?

INTERPRÉTATIONS

• Quelles sont les deux morales en conflit ? Qualifiez-les et citez-en les valeurs. Rosine et Clindor sont-ils également convaincants ? En quoi la position de Rosine est-elle scandaleuse ? Relevez les mots très péjoratifs avec lesquels elle désigne les valeurs du camp adverse.
• Peut-on dire que Rosine souhaite un dénouement tragique ? Est-ce conforme à l'esprit de la tragédie ?

SCÈNE 5. CLINDOR, ROSINE, ISABELLE, LISE, PRIDAMANT, ÉRASTE, TROUPE DE DOMESTIQUES.

ÉRASTE

Donnons[1], ils sont ensemble.

ISABELLE

Ô dieux, qu'ai-je entendu ?

LISE

1700 Madame, sauvons-nous !

PRIDAMANT

Hélas ! il est perdu !

CLINDOR

Madame, je suis mort, et votre amour fatale
Par un indigne coup aux enfers me dévale[2].

ROSINE

Je meurs, mais je me trouve heureuse en mon trépas
Que du moins en mourant je vais suivre tes pas.

ÉRASTE

1705 Florilame est absent, mais durant son absence,
C'est là comme les siens punissent qui l'offense ;
C'est lui qui par nos mains vous envoie à tous deux
Le juste châtiment de vos lubriques feux.

ISABELLE

Réponds-moi, cher époux, au moins une parole !
1710 C'en est fait, il expire, et son âme s'envole !
Bourreaux, vous ne l'avez massacré qu'à demi !
Il vit encor en moi, soûlez[3] son ennemi !
Achevez, assassins, de m'arracher la vie :
Sa haine, sans ma mort, n'est pas bien assouvie.

1. **Donnons :** frappons.
2. **Dévale :** précipite.
3. **Soûlez :** rassasiez.

ÉRASTE

1715 Madame, c'est donc vous !

ISABELLE

Oui, qui cours au trépas.

ÉRASTE

Votre heureuse rencontre épargne bien nos pas.
Après avoir défait le prince Florilame
D'un ami déloyal et d'une ingrate femme,
Nous avions ordre exprès de vous aller chercher.

ISABELLE

1720 Que voulez-vous de moi, traîtres ?

ÉRASTE

Il faut marcher ;
Le prince dès longtemps amoureux de vos charmes,
Dans un de ses châteaux veut essuyer vos larmes.

ISABELLE

Sacrifiez plutôt ma vie à son courroux.

ÉRASTE

C'est perdre temps, Madame, il veut parler à vous.

REPÈRES

• À quel moment de la pièce la scène 5 vous fait-elle penser ? Pourquoi ?
• Quel personnage apparaît ici, qui semblait ne pas y avoir sa place ? Pourquoi l'avoir fait parler ?

OBSERVATION

• Cherchez l'étymologie du nom *Éraste*. En quoi vous semble-t-il antiphrastique par rapport au contexte ?
• Quatre personnages ne disent ici qu'une seule réplique. Quel effet cela produit-il ?
• En quoi le signal donné par Éraste (« ils sont ensemble ») accroît-il le caractère tragique de l'événement ?
• Comparez les dernières paroles de Rosine et Clindor. À qui s'adressent-ils ? Est-ce choisi ? Opposez leur attitude face à la mort.
• Pourquoi Isabelle insiste-t-elle pour demander « au moins une parole » (v. 1709) ? En quoi la séparation des époux en est-elle d'autant plus tragique ?
• Comparez le dénouement de l'acte avec ce qu'avait prévu Isabelle à la scène 2. En quoi avait-elle raison ? En quoi est-elle prise de court ?
• À quoi fait écho l'apostrophe « bourreaux » (v. 1711). Expliquez au même vers l'expression « à demi ». Quelle assonance trouvez-vous au vers 1713 ?

INTERPRÉTATIONS

• Faites le bilan des scènes où Isabelle a voulu partager, de façon tragique, le destin de Clindor. Y parvient-elle enfin ?
• Montrez que l'enlèvement d'Isabelle rappelle le dénouement de l'acte IV : même urgence, même disparition…

SCÈNE 6. ALCANDRE, PRIDAMANT.

ALCANDRE

1725 Ainsi de notre espoir la fortune se joue ;
Tout s'élève ou s'abaisse au branle[1] de sa roue,
Et son ordre inégal qui régit l'univers
Au milieu du bonheur a ses plus grands revers.

PRIDAMANT

Cette réflexion malpropre[2] pour un père
1730 Consolerait peut-être une douleur légère,
Mais, après avoir vu mon fils assassiné,
Mes plaisirs foudroyés, mon espoir ruiné,
J'aurais d'un si grand coup l'âme bien peu blessée,
Si de pareils discours m'entraient dans la pensée.
1735 Hélas ! dans sa misère il ne pouvait périr,
Et son bonheur fatal lui seul l'a fait mourir !
N'attendez pas de moi des plaintes davantage :
La douleur qui se plaint cherche qu'on la soulage ;
La mienne court après son déplorable sort.
1740 Adieu, je vais mourir, puisque mon fils est mort.

ALCANDRE

D'un juste désespoir l'effort[3] est légitime,
Et de le détourner je croirais faire un crime.
Oui, suivez ce cher fils sans attendre à demain,
Mais épargnez du moins ce coup à votre main :
1745 Laissez faire aux douleurs qui rongent vos entrailles,
Et, pour les redoubler, voyez ses funérailles.
(On tire un rideau et on voit tous les comédiens qui partagent leur argent.)

PRIDAMANT

Que vois-je ! Chez les morts compte-t-on de l'argent ?

ALCANDRE

Voyez si pas un d'eux s'y montre négligent !

1. **Branle :** mouvement.
2. **Malpropre :** inappropriée.
3. **L'effort :** les conséquences violentes (ici, le suicide).

PRIDAMANT

Je vois Clindor, Rosine, ah ! Dieu ! quelle surprise !
1750 Je vois leur assassin, je vois sa femme et Lise !
Quel charme en un moment étouffe leurs discords[1]
Pour assembler ainsi les vivants et les morts ?

ALCANDRE

Ainsi, tous les acteurs d'une troupe comique[2],
Leur poème récité, partagent leur pratique[3].
1755 L'un tue et l'autre meurt, l'autre vous fait pitié,
Mais la scène préside à leur inimitié ;
Leurs vers font leur combat, leur mort suit leurs paroles,
Et sans prendre intérêt en pas un de leurs rôles,
Le traître et le trahi, le mort et le vivant
1760 Se trouvent à la fin amis comme devant[4].
Votre fils et son train[5] ont bien su par leur fuite
D'un père et d'un prévôt[6] éviter la poursuite ;
Mais tombant dans les mains de la nécessité,
Ils ont pris le théâtre en cette extrémité.

PRIDAMANT

1765 Mon fils comédien !

ALCANDRE

D'un art si difficile
Tous les quatre au besoin[7] en ont fait leur asile,
Et depuis sa prison ce que vous avez vu,
Son adultère amour, son trépas imprévu,
N'est que la triste fin d'une pièce tragique
1770 Qu'il expose aujourd'hui sur la scène publique,
Par où ses compagnons et lui, dans leur métier,
Ravissent dans Paris un peuple tout entier.

---

1. **Discords** : désaccords.
2. **Comique** : théâtrale.
3. **Pratique** : argent gagné, recette.
4. **Comme devant** : comme avant.
5. **Son train** : sa troupe.
6. **Prévôt** : juge.
7. **Au besoin** : dans le besoin.

Le gain leur en demeure, et ce grand équipage
Dont je vous ai fait voir le superbe étalage,
1775 Est bien à votre fils, mais non pour s'en parer
Qu'alors que[1] sur la scène il se fait admirer.

PRIDAMANT

J'ai pris sa mort pour vraie, et ce n'était que feinte,
Mais je trouve partout mêmes sujets de plainte :
Est-ce là cette gloire et ce haut rang d'honneur
1780 Où le devait monter l'excès de son bonheur ?

ALCANDRE

Cessez de vous en plaindre : à présent le théâtre
Est en un point si haut qu'un chacun l'idolâtre,
Et ce que votre temps voyait avec mépris
Est aujourd'hui l'amour de tous les bons esprits,
1785 L'entretien[2] de Paris, le souhait des provinces,
Le divertissement le plus doux de nos princes,
Les délices du peuple, et le plaisir des grands ;
Parmi leurs passe-temps il tient les premiers rangs,
Et ceux dont nous voyons la sagesse profonde
1790 Par ses illustres soins conserver tout le monde,
Trouvent dans les douceurs d'un spectacle si beau
De quoi se délasser d'un si pesant fardeau.
Même notre grand roi[3], ce foudre de la guerre
Dont le nom se fait craindre aux deux bouts de la Terre,
1795 Le front ceint de lauriers daigne bien quelquefois
Prêter l'œil et l'oreille au théâtre françois.
C'est là que le Parnasse[4] étale ses merveilles ;
Les plus rares esprits lui consacrent leurs veilles,
Et tous ceux qu'Apollon[5] voit d'un meilleur regard
1800 De leurs doctes travaux lui donnent quelque part.

---

1. **Qu'alors que :** sauf quand.
2. **Entretien :** sujet de conversation.
3. Louis XIII, d'ailleurs peu amateur de théâtre.
4. **Le Parnasse :** montagne de la Grèce où résidaient les Muses, déesses protectrices des arts.
5. **Apollon :** dans la mythologie, dieu de l'Inspiration artistique.

S'il faut par la richesse estimer les personnes,
Le théâtre est un fief dont les rentes sont bonnes,
Et votre fils rencontre en un métier si doux
Plus de biens et d'honneur qu'il n'eût trouvé chez vous.
1805 Défaites-vous enfin de cette erreur commune,
Et ne vous plaignez plus de sa bonne fortune.

PRIDAMANT

Je n'ose plus m'en plaindre : on voit trop de combien
Le métier qu'il a pris est meilleur que le mien.
Il est vrai que d'abord mon âme s'est émue :
1810 J'ai cru la comédie au point où je l'ai vue ;
J'en ignorais l'éclat, l'utilité, l'appas,
Et la blâmais ainsi, ne la connaissant pas.
Mais depuis vos discours, mon cœur plein d'allégresse
A banni cette erreur avecque sa tristesse.
1815 Clindor a trop bien fait.

ALCANDRE

N'en croyez que vos yeux.

PRIDAMANT

Demain, pour ce sujet, j'abandonne ces lieux,
Je vole vers Paris. Cependant, grand Alcandre,
Quelles grâces ici ne vous dois-je point rendre !

ALCANDRE

Servir les gens d'honneur est mon plus grand désir ;
1820 J'ai pris ma récompense en vous faisant plaisir.
Adieu, je suis content, puisque je vous vois l'être.

PRIDAMANT

Un si rare bienfait ne se peut reconnaître ;
Mais, grand Mage, du moins croyez qu'à l'avenir
Mon âme en gardera l'éternel souvenir.

D. D. Petrus Corneille

REPÈRES

- Faites le point sur l'enchâssement des lieux : où était située la tragédie jouée par les acteurs ? Où se trouve leur théâtre ? Où sont en fait Alcandre et Pridamant ?
- Pridamant aurait-il pu, dans ses « errances » (*cf.* acte I, scène 1), rencontrer son fils ? Pourquoi ?

OBSERVATION

- Quel dispositif scénique, déjà présent à l'acte I scène 2, fait ici retour ? Que suggère-t-il aux spectateurs ?
- Trouvez l'adverbe (deux occurrences) qui marque la fin de la pièce. Notez et comparez les deux « adieux » de Pridamant.
- Montrez l'ambiguïté des propos du mage quant au suicide.
- Pourquoi Alcandre retarde-t-il la révélation ? Qui en faisait autant, à l'acte IV ? Que traduisent les exclamations du père, aux vers 1749-1750 et 1765 ?
- La vie de Clindor le destinait-elle au théâtre ? Pourquoi ?
- Relevez les vers qui abordent le problème de l'argent. Dans le vers 1802, analysez la métaphore. Quelles sont les deux idéologies contraires qui s'y trouvent réconciliées ?
- Expliquez l'expression « erreur commune » (v. 1805). Quel but assigne-t-on d'ordinaire à la comédie ?

INTERPRÉTATIONS

- Quelle est l'intention de Pridamant à la fin ? En quoi prouve-t-elle l'utilité du théâtre ?
- Quels arguments Alcandre emploie-t-il dans son apologie du théâtre ? Quel aspect néglige-t-il ? Pourquoi ? En quoi sa défense du métier de comédien ne peut-elle s'inscrire que dans un contexte baroque ?

L'acte V s'annonce en forme d'infraction manifeste à la règle des unités : l'action y est située en un autre lieu (l'Angleterre), deux ans après l'évasion de l'acte IV, et les personnages ont tout à la fois changé d'aspect, de condition et d'entourage. Cependant, Corneille se joue des règles comme du public : en réalité, il les respecte puisqu'on n'est pas censé voir Clindor mais une « illusion » de Clindor. Ce « saut » dans l'action est justifié par Alcandre : il s'agit de montrer les héros en « haute fortune ». Dès la scène 2, on fait mention d'un « prince » et d'une « princesse » : à la scène 3, même Isabelle reçoit ce titre, tandis qu'elle rappelle à Clindor son nouveau rang de favori et de puissant ministre. Dans ce décor de cour, tout est magnificence. Les noms eux-mêmes se font précieux : la syllabe « or », enserrée dans « Florilame », rehausse la sonorité finale de « Clindor », et l'on se souvient des noms « Dorante » et « Matamore ». À la scène 6, on compte l'argent sur scène. L'apothéose est bel et bien financière.
Cette fois, la manipulation illusoire orchestrée par le mage a une visée pédagogique : en faisant de Clindor un grand prince, Alcandre donne à Pridamant des gages de sa « haute fortune ». Il renoue, en outre, avec l'acte I scène 2 où le héros paraissait déjà dans sa splendeur, et s'installe de plain-pied dans le registre tragique réservé, par définition, aux grands personnages. La fausse fortune de Clindor et sa fausse mort à la suite dissipent par avance les regrets du vieux père : dans cette tragédie en trompe-l'œil, il n'y a d'autre mort, en fin de compte, que celle du préjugé de Pridamant, bientôt balayé par l'apologie du théâtre. Honneur, fortune, gloire et art : voilà ce que le mage promet aux comédiens. Son but est finalement atteint : après tant de méandres, la « maïeutique » cornélienne est parvenue à « initier » un Pridamant mal disposé envers le théâtre, l'aidant à accueillir la nouvelle du métier de son fils et œuvrant pour la paix des générations. Tel est le pouvoir magique du théâtre, lieu et lien social.

Comment lire l'œuvre

ACTION ET PERSONNAGES

L'action

De façon générale, l'intrigue de *L'Illusion comique* est bâtie sur trois niveaux d'action bien distincts :
– action A_1 : Alcandre cherche à réconcilier Pridamant et Clindor (acte I ; acte II, scènes 1 et 9 ; acte III, scène 12 ; acte IV, scène 10 ; acte V, scène 6) ;
– action A_2 : les amours de Clindor et d'Isabelle (actes II, III et IV à l'exception des scènes citées en A_1) ;
– action A_3 : les amours de Théagène (Clindor) avec Hippolyte (Isabelle) et Rosine (acte V, scènes 1 à 5).
En vertu de l'« illusion » comique, l'action A_3 se confond avec l'action A_2 jusqu'à la dernière scène du dernier acte.

L'action A_1

Elle obéit à un schéma actantiel simple. Alcandre est le sujet principal : son but est de retrouver Clindor (l'objet), pour le compte de Pridamant, qui est en même temps le destinateur et le destinataire. L'adjuvant est la magie (c'est-à-dire l'« illusion ») ; le principal opposant est le préjugé de Pridamant envers le théâtre.
Les actions A_2 et A_3 sont enchâssées dans l'action A_1, dont elles constituent en quelque sorte des « arguments » dans le dispositif rhétorique mis en œuvre par Alcandre pour convaincre Pridamant de l'excellence du théâtre. Pour le mage, il s'agit en fait d'illusionner le père en déguisant la déchéance de Clindor en ascension sociale : aussi l'action A_2 montre-t-elle le fils dans une situation moyenne (amour = succès/fortune = échec), tandis que l'action A_3 le présente dans une situation heureuse (amour = succès/fortune = succès).
Si enfin on lit la pièce comme une quête, ces actions intermédiaires apparaissent comme des « images » de l'objet recherché, des « indices » dont la mise bout à bout permet les retrou-

vailles finalement annoncées. Cependant, il faut noter que la quête n'aboutit pas *physiquement* dans la pièce (le père et le fils ne se revoient pas sur scène) : c'est que Corneille, évitant une scène de pathétique facile, travaille sur le niveau *idéologique* (rendre le théâtre aimable, pour rendre le fils aimable).

L'action A_2

Elle occupe de loin la plus grande partie de la pièce, bien qu'elle soit entrecoupée de plusieurs scènes de « glose », d'ailleurs courtes, où les protagonistes de l'action A_1 font périodiquement le point sur l'avancée de leur « recherche ».
Aux trois actes de l'action A_2 correspondent trois moments spécifiques dans le schéma actantiel, qui sont orientés dans le sens d'une simplification de l'intrigue par levée successive des obstacles.
On peut résumer le développement de l'action A_2 en notant → la relation « aime », ⇒ la relation « s'oppose à », et † la relation « tue ».

Acte II	Matamore → Isabelle ← Adraste Lise → et ⇒ Clindor ↔ Isabelle
Acte III	Géronte ⇔ Isabelle ↔ Clindor Adraste ⇒ Clindor
Acte IV	Isabelle ↔ Clindor † Adraste Lise ↔ le geôlier

Respectivement, les trois actes correspondent à l'exposition, au nœud et au dénouement de l'action A_2. Seule l'opposition de Géronte n'est pas directement supprimée : les personnages s'en libèrent au moyen d'une évasion. En effet, pour des raisons idéologiques (tabou du parricide) et esthétiques (contexte tragi-comique), le meurtre du père est une issue impossible.

L'action A_3

De la même façon, l'action représentée par l'épisode « tragique » de l'acte V peut se lire comme le passage d'une situation d'interdit (polygamie) :

Rosine ↔ Clindor ↔ Isabelle
dont se déduit la rivalité virtuelle, en l'absence de Florilame :
(Florilame) ⇔ Clindor
à un règlement tragique :
(Florilame) † Clindor et Rosine
(Florilame) → Isabelle

Les personnages

Alcandre

Magicien omniscient, Alcandre est le grand marionnettiste de *L'Illusion comique*, et, de toute évidence, une figure du dramaturge. Ses pouvoirs télépathiques et illusionnistes font de sa grotte tourangelle bien moins un antre de sorcier qu'une salle de « cinéma » avant l'heure, où les images animées de Clindor et sa suite prennent vie devant les yeux émerveillés du vieux Pridamant. Présent à la fin de chaque acte, Alcandre manipule le père comme le public, mais sans machiavélisme : ses propos, qui tendent toujours à rassurer un Pridamant trop prompt à l'alarme, trahissent chez lui un souci de « distanciation » très moderne. Dans ces conditions encore, Alcandre n'en demeure pas moins un « professeur de réel » : en effet, le but ultime de sa mise en scène est bien la réconciliation de Pridamant et de la réalité nouvelle dans laquelle vit son fils.

Pridamant

Il est à Alcandre ce que le spectateur est au metteur en scène. Poussé par le remords, il vient prier le magicien de lui rendre son fils, parti du foyer paternel voilà dix ans pour échapper à ses rigueurs. Dans son omniscience, Alcandre sait bien que le vieux père n'est pas prêt à recevoir la nouvelle : son fils comédien, quelle infamie ! C'est donc une initiation au théâtre à laquelle se prête – sans le savoir – Pridamant tout au long de la pièce, jusqu'au moment où, convaincu par les doubles pouvoirs de la magie et de la dramaturgie, il n'a plus qu'un désir : rejoindre son fils comédien à Paris.

Les amants

Clindor

Fils prodigue, aventurier, vagabond, Clindor est le type du héros picaresque qui peu à peu se range et découvre, dans le théâtre, un lieu propice à l'expression de ses personnalités multiples et insaisissables. C'est sans doute l'un des personnages les plus baroques de la pièce. Inconstant et contradictoire, comme le veut sa condition de « gentilhomme-valet », il est capable de basse flatterie comme de noble héroïsme, d'amour conjugal comme de séduction légère, de sens tragique comme de bouffonnerie. En un mot, il est l'acteur, celui qui joue tous les rôles et n'en épuise aucun, comme ont bien dû le voir, du reste, les spectateurs de 1636 : son nom lui-même, rapproché de celui du prince Florilame, n'évoque-t-il pas le pseudonyme de l'acteur Floridor, ami de Corneille, et à qui il emprunta certains traits biographiques pour créer Clindor ?

Isabelle

Son nom espagnol la prédestinait aux aventures les plus romanesques de la tragi-comédie, et à lui seul évoque les évasions, les vols, les meurtres, les prisons où son sort est lié. C'est un type d'amoureuse au cœur pur. Courtisée par trois hommes, elle en aime le plus « aimable », même si c'est le moins fortuné, et n'entend pas en changer. Alternant accents tragiques et effronteries de comédie, Isabelle reflète bien les ambiguïtés de la pièce. En outre, elle occupe dans le réseau des personnages une place centrale qui lui vient de son charme autant que de sa fière volonté. Elle affronte Géronte et le péril de mort avec le même héroïsme frondeur, et ne craint pas de désobéir à son père pour garder son amant. Cette indépendance est d'ailleurs un point commun capital qu'elle a avec Clindor : tous deux forment l'image d'une jeunesse moderne et libre, telle que le premier XVIIe siècle a pu la goûter et la promouvoir.

Les adjuvants

Lise

Lise est bien plus qu'une soubrette de comédie. Même si c'est elle qui, traditionnellement, mène les péripéties qui aboutissent à la libération de Clindor, même si son parler, pour être quelquefois « trop au-dessus » de sa condition (comme le notait Corneille en 1660), possède la vivacité et la franchise d'une servante, Lise est un personnage complexe et riche. Elle passe de la haine à l'amour avec des inflexions qui révèlent une âme noble tentée par la vengeance farcesque, plutôt que l'inverse. Autant par fantaisie que par sacrifice, elle renonce à ses vues sur Clindor pour épouser le geôlier, et éprouve à ce moment l'exaltation d'être la seule à vraiment diriger l'action.

Matamore

Il mérite d'être classé parmi les adjuvants, bien que son aide soit aussi peu efficace que ses menaces n'étaient effectives. C'est qu'en effet Matamore, l'être de paroles, est celui qui « marie » parodiquement les amants, à la fin de l'acte III, et leur donne une bénédiction burlesque qui ne sera pas démentie en fin de compte.

Si la pièce était à l'origine bâtie autour de Matamore, il faut bien reconnaître que son utilité dramatique est quasi nulle. En revanche, sa verve extravagante, sa bouffonnerie involontaire, son égocentrisme exacerbé en font un « morceau de bravoure » vivant, et l'une des « attractions » les plus drôles de *L'Illusion comique*.

Emprunté à la comédie latine, le type du *miles gloriosus* (« soldat fanfaron ») a transité par l'Italie (où son nom est « capitan ») avant de se teinter de couleur espagnole : son nom signifie, d'ailleurs, dans cette dernière langue, « tueur de Maures ». Mais à la tradition littéraire s'est jointe l'actualité politique plus récente : on a aussi vu dans le personnage de Matamore une satire bouffonne des soldats espagnols qui dominaient alors l'Europe, et dont la caricature était devenue un thème de comédie à la mode.

Les opposants

Adraste

Gentilhomme raffiné et galant, il n'en cache pas moins un caractère orgueilleux et fourbe que Corneille paraît satiriser. Il a recours à la force à deux reprises : en invoquant l'autorité de Géronte contre la volonté d'Isabelle d'abord, puis en tramant avec ce dernier l'embuscade qui se conclut par l'emprisonnement de Clindor et dans laquelle il perd d'ailleurs la vie. Malgré ses qualités (réputation, fortune, rang), c'est un obstacle au bonheur des héros et un personnage dont la pièce se défait sans scrupule.

Géronte

Le « vieillard », comme le suggère son nom d'origine grecque, est un personnage classique de la comédie, que Molière utilisera, par exemple, dans *Le Médecin malgré lui*. Comme son allié Adraste, il intervient assez peu en paroles : il affronte la rébellion de sa fille ; vilipende, de façon très classique, les mœurs du temps ; rabroue Matamore. Pour le reste, il se contente d'agir, et mène à bien le guet-apens qui doit écarter Clindor et permettre à Adraste d'épouser Isabelle. C'est un personnage, sinon ridicule, foncièrement négatif : représentant de l'ordre autoritaire et de la « raison » bourgeoise ennemie des « licences » de la jeunesse. Il est un miroir peu flatteur tendu à Pridamant par Alcandre, qui lui aussi a perdu son fils pour l'avoir tyrannisé.

Les autres personnages

Si Dorante tient le rôle d'intercesseur et de « prologue », le geôlier se range, pour sa part, au rang des adjuvants à l'amour de Clindor et d'Isabelle. Quant à Rosine, elle représente l'héroïne tragique passionnée jusqu'à la mort. Ce n'est pas fortuitement qu'elle cite l'exemple de Phèdre.

Le théâtre baroque

Bien que le terme ait fait l'objet de multiples débats, on s'accorde généralement à qualifier de « baroque » une bonne partie de la production artistique du début du XVIIe siècle. S'il a dominé plus largement – et plus durablement – dans les pays d'où il est originaire, comme l'Italie et l'Espagne, s'il est plus facilement identifiable dans les domaines de la peinture ou de l'architecture, il n'en reste pas moins possible de rattacher bien des œuvres littéraires signalées en France, entre 1600 et 1640, au mouvement général du baroque. Dans ce cadre particulier, la notion de baroque revêt un sens d'autant plus crucial qu'elle s'oppose à l'esthétique dite « classique » qui lui succède, et dont la France, cette fois, est à l'origine.

À la différence du classicisme, volontiers préoccupé de régularité formelle, de clarté intellectuelle, d'ordre et de raison, l'esthétique baroque paraît privilégier l'*effet* d'une œuvre aux dépens de son *sens*. Le baroque met l'accent sur l'expression, la perception, l'émotion, pour en contrepartie négliger l'analyse et l'intellection.

Au théâtre, l'esprit baroque s'incarne on ne peut mieux dans la tragi-comédie. Trois aspects fondamentaux, parmi bien d'autres, peuvent le caractériser. On les rencontre fréquemment dans *L'Illusion comique* : l'illusion, ou inconstance du paraître ; la contradiction, ou inconstance de l'être ; l'emphase, ou inconstance de l'expression.

L'illusion

C'est dans la pièce de Corneille beaucoup plus qu'un simple thème : à tous les niveaux, l'illusion fait son œuvre, et les personnages baroques s'y confrontent en permanence, parce que le monde dans lequel ils évoluent a perdu la certitude absolue

Théâtre de l'ancienne résidence de Munich, 1751-1753, Allemagne.

des anciens. Bien entendu, la forme la plus éloquente de l'illusion est celle que suggère le titre de la pièce, qui correspond assez exactement à ce que la critique moderne a appelé « illusion référentielle », renouvelant le concept aristotélicien de *mimèsis* : cette illusion (théâtrale, ici) renvoie simplement au fait que le spectateur, assistant à une action jouée devant lui, « oublie » progressivement qu'il s'agit de fiction pour observer les personnages exactement comme s'ils étaient des personnes réelles. C'est bien de cette illusion qu'est « victime » Pridamant, quand il s'écrie, au vers 977 : « Hélas ! mon fils est mort ! » L'illusion du spectateur est ici double : erreur d'anticipation (Clindor, en fait, ne meurt pas lors de l'embuscade) ; erreur de vision (Pridamant ne voit pas Clindor, mais une « illusion » de Clindor).

Les termes qui désignent l'illusion théâtrale – « ou comique » – dans la pièce sont tous placés dans la bouche véridique d'Alcandre : « spectres pareils à des corps animés » (v. 152), ou « fantômes vains » (v. 218), par exemple. Ces deux métaphores révèlent assez la nature surnaturelle de l'illusion théâtrale, en même temps que son ambivalence : d'un côté, le procédé émerveille, il est « magique » ; d'un autre côté, il appartient, avec la sorcellerie, au monde diabolique du dédoublement. Alcandre souligne souvent le danger de ses manipulations : « Sinon, vous êtes mort » (v. 218). Cette ambiguïté est constitutive de la tragi-comédie, et le personnage d'Alcandre emprunte peut-être autant aux enchanteurs de la pastorale (tel Adamas, dans *L'Astrée*) qu'au mythe de Faust. La métaphore choisie par Corneille – la magie représentant le théâtre – n'est pas innocente : il ne faut pas oublier qu'au XVIIe siècle encore, l'Église jetait sur ces deux activités un même anathème.

Mais l'illusion est aussi un problème esthétique. Au vers 148, Alcandre propose à Pridamant de lui faire un « discours » ; deux vers après, toutefois, c'est une « illusion » qu'offre le mage. Ce passage est significatif de l'esprit baroque : la parole y cède le pas à l'image. Les mots seuls s'égarent, pris au piège de la vision : le monologue de Clindor, en prison, se perd en hallucinations. Dans *Clitandre*, Corneille a composé un monologue fort semblable (*cf.* « Correspondances », p. 171). C'est que la rhétorique baroque affectionne l'*hypotypose*, cette figure de style qui prétend si bien dire qu'elle fait voir. Et comme chacun dit à sa manière, chacun voit, de même, ses illusions propres : Matamore, à la sortie d'Adraste (v. 410), est persuadé que le galant s'est enfui devant son aspect terrible. Lise, encore amoureuse, à la scène 5 de l'acte III, ne peut croire à la bonne foi de Clindor. Tous sont le jouet de « fantômes » particuliers. Et pour mieux s'illusionner, ils n'en sont pas moins conscients des illusions d'autrui : ainsi Matamore prie le Ciel, au vers 465, de « désabuser » la pauvre reine d'Islande – illusion au second degré, et trouvaille ingénieuse que le baroque estime.

La contradiction

Les choses paraissent également, qu'elles soient vraies ou fausses : tel est le constat originel du baroque. À partir de là, on peut chercher infiniment à démêler le rêve du réel, on passe à son insu d'une illusion à l'autre. C'est l'expérience que fait Pridamant, qui croit son fils mort à la fin de l'acte III, puis à la fin de l'acte V. Seul un mage omniscient a le pouvoir de dissiper les faux-semblants : pour les autres, qu'ils s'en accommodent ! De là naissent les contradictions : « Des épines pour moi, vous les nommez des roses », dit Isabelle à Adraste (v. 366). Et plus loin : « Ce que vous appelez un heureux hyménée/N'est pour moi qu'un enfer si j'y suis condamnée » (v. 665-666). Nombreux sont les exemples de cette « inconstance des choses », qui fait qu'elles sont et ne sont pas, selon qui les regarde, et comment. Mais seul avec lui-même, dans un monologue par exemple, le personnage baroque demeure en butte à cette inconstance universelle. Lise passe de la vengeance à l'indulgence (acte III, scène 6) ; Isabelle, de la révolte au désespoir (acte IV, scène 1) ; Clindor lui-même, du plaisir à l'angoisse (acte IV, scène 7). Le monologue est le terrain privilégié de l'expression baroque d'un changement perpétuel des choses, d'une « fortune », d'un « ordre inégal » – selon les termes d'Alcandre aux vers 1725 et 1727. Les choses ne sont plus fixées éternellement, comme elles l'étaient dans la conception platonicienne, à laquelle Adraste fait allusion, avec mauvaise foi d'ailleurs, aux vers 377-381. Les passions passent, sans logique : Lise renonce à Clindor sans peine ; Matamore cesse d'aimer Isabelle ; et jusque dans la « tragédie » de l'acte V, Clindor passe, en une scène, de l'amour-passion pour Rosine à la fidélité conjugale. La contradiction baroque dépasse tant l'entendement que nul n'en cherche des raisons : on est loin, dans ces moments, de l'esprit classique d'analyse, pour qui les contradictions se doivent de s'accorder, sous peine de fin tragique.

L'emphase

Une fois ce principe admis, la « vraisemblance » n'a plus lieu d'être. Sans l'entrave d'une raison ordonnatrice, le discours baroque peut aisément dériver dans la logorrhée la plus folle, dans l'emphase la plus grotesque. Le goût pour les longs monologues, où le personnage change du tout en tout sans autre frais qu'un « toutefois » dérisoire, forme déjà la marque d'un style de parole exempté des impératifs de cohérence, de référence et de pertinence. Matamore, bien évidemment, représente l'exemple paroxystique d'un tel ordre de discours. D'un mot, il soumet les empires les plus lointains qui fascinent, à l'époque, la petite Europe, et il passe de la Turquie à l'Inde, du Mexique à la Perse. La recherche du mot rare et exotique participe de sa préciosité particulière, même si le procédé qu'il préfère est l'accumulation délirante : aux vers 916-922, il énumère les « morts » possibles ; en 749-756, c'est une folle litanie où s'enchaînent une quarantaine de termes techniques empruntés au lexique de la construction. De tels « morceaux de bravoure » (si l'on ose les attribuer à Matamore !) ravissent évidemment le public baroque : non seulement pour la monstruosité comique de cette parole qui ne réfère plus à rien, mais aussi pour l'amour des mots qu'elle chante et communique. L'emphase baroque, si elle alterne avec des passages plus rythmés où les stichomythies se succèdent avec rapidité, ne se limite pourtant pas au type outrancier du soldat fanfaron. Elle échoit en partage à tous les personnages, à des degrés divers, et sans distinction de classe. Ainsi, Lise elle-même, quand elle conte son entreprise de séduction du geôlier (acte IV, scène 2), trahit des accents héroïques, un machiavélisme burlesque vu l'état du bien-aimé, et un narcissisme débridé : on croirait entendre non une servante, mais une Merteuil avant l'heure.

Dans la parodie de divers styles étrangers à la pièce, dans les allusions à la pastorale, au roman picaresque, à la tragédie, à la farce, enfin, *L'Illusion comique* arbore son choix baroque d'un langage lui aussi inconstant, hanté par l'idée de totalité littéraire, d'excès purement verbal et spectaculaire, de fête des images et des mots, sans souci de leur sens.

Correspondances

- Shakespeare, *La Tempête*, acte V, scène 1.
- Corneille, *Clitandre*, acte III, scène 3.

1

• Shakespeare, dans *La Tempête* (1611), a présenté un personnage de magicien qui n'est pas sans ressemblances avec l'Alcandre de Corneille. Prospéro, ancien duc de Milan chassé par un complot, s'est réfugié sur une île. Une tempête qu'il provoque le confronte avec ses anciens ennemis. Dans la scène qui suit, Alonso, roi de Naples qui vient de perdre son fils Ferdinand (lui aussi !), rencontre Prospéro, qui feint d'avoir perdu sa fille Miranda. Mais la magie crée là encore une « illusion »...

Alonso. — Vous, une même perte ?
Prospéro. — Aussi terrible, pour moi, que récente, et pour la rendre
Supportable, encore ai-je des moyens bien moindres
Que ceux que vous pouvez invoquer pour vous consoler
Car j'ai perdu ma fille.
Alonso. — Votre fille ?
O ciel ! Si seulement ils étaient tous deux en vie, à
Naples, roi et reine de cette ville ! Si seulement ! Et moi
Je voudrais être enseveli dans ce tombeau de boue
Où repose mon fils... Quand avez-vous perdu votre fille ?
Prospéro. — Dans la dernière tempête... Je vois bien, seigneurs, votre
Grand étonnement à me rencontrer ici. Vous épuisez
Votre raison, et vous peinez à croire que vos yeux vous
Représentent la vérité... Mes mots sont purs comme l'air,
Mais, si désarçonnés que soient vos sens, soyez-en sûrs :
Je suis Prospéro, ce même duc qui fut jeté hors de Milan,
Qui accosta sur ce rivage où, par un hasard étrange, vous
Avez échoué, et où je règne. Mais laissons cette matière,
Car c'est une chronique de plusieurs jours, qu'il ne
Convient pas de raconter en un matin, surtout le jour
De ces retrouvailles.

Il pose sa main sur le rideau de la grotte.

Soyez le bienvenu, seigneur ;
Cette grotte est ma cour : dedans, j'ai peu de serviteurs,
Et de sujets, dehors, aucun. Entrez, je vous en prie.
Puisque vous m'avez rendu mon duché, je veux vous
Remercier par un bienfait égal – ou, du moins, susciter
Un prodige qui vous ravisse autant que moi mon duché.

Prospéro dévoile Ferdinand et Miranda, qui jouent aux échecs.

Miranda. — Doux seigneur, vous jouez en traître !
Ferdinand. — Mais non, ma chère,
Même pour un royaume, je ne ferais pas une telle chose.
Miranda. — Mais pour vingt royaumes, vous auriez raison de tricher,
Et moi, j'appellerais cela jouer franc jeu.
Alonso. — Si cette vision s'avère
N'être qu'un mirage, alors j'aurai perdu deux fois
Un fils chéri.

Shakespeare, *La Tempête*, acte V, scène 1.

2

• La seconde pièce de Corneille, *Clitandre* (1631), annonce, par bien des aspects, la future *Illusion comique*. Les noms des personnages font écho : on y trouve un Alcandre, un Floridan, un Géronte... Surtout, le jeu des illusions (méprises, travestissements, revirements...) y est poussé à la saturation. Dans le monologue suivant, le héros, favori du Prince et injustement emprisonné, se pose la question – baroque par excellence – de l'illusion...

Clitandre. — Je ne sais si je veille ou si ma rêverie
À mes sens endormis fait quelque tromperie ;
Peu s'en faut, dans l'excès de ma confusion,
Que je ne prenne tout pour une illusion.
5 Clitandre prisonnier ! je n'en fais pas croyable
Ni l'air sale et puant d'un cachot effroyable,
Ni de ce faible jour l'incertaine clarté,
Ni le poids de ces fers dont je suis arrêté ;
Je les sens, je les vois, mais mon âme innocente
10 Dément tous les objets que mon œil lui présente,
Et le désavouant, défend à ma raison
De me persuader que je sois en prison.
Jamais aucun forfait, aucun dessein infâme
N'a pu souiller ma main ni glisser dans mon âme,
15 Et je suis retenu dans ces funestes lieux !
Non, cela ne se peut : vous vous trompez, mes yeux ;
J'aime mieux rejeter vos plus clairs témoignages,
J'aime mieux démentir ce qu'on me fait d'outrages
Que de m'imaginer, sous un si juste roi,
20 Qu'on peuple les prisons d'innocents comme moi.
Cependant je m'y trouve, et bien que ma pensée
Recherche à la rigueur ma conduite passée,
Mon exacte censure a beau l'examiner,
Le crime qui me perd ne se peut deviner,
25 Et quelque grand effort que fasse ma mémoire,
Elle ne me fournit que des sujets de gloire.
Ah ! Prince, c'est quelqu'un de vos faveurs jaloux
Qui m'impute à forfait d'être chéri de vous.
[...]

Corneille, *Clitandre*, acte III, scène 3.

Le théâtre dans le théâtre

Le goût baroque de l'illusion a débouché, dans un certain nombre d'œuvres de l'époque, sur une véritable mise en scène du fait théâtral lui-même, qu'on peut appeler « mise en abyme », « métathéâtre », ou plus simplement « théâtre dans le théâtre ». *L'Illusion comique* est profondément marquée par ce dispositif que l'on retrouve chez les plus grands dramaturges baroques (Shakespeare, Calderón, Rotrou notamment), de même que chez certains auteurs du XXe siècle (Pirandello, Brecht).

La plus grande partie de *L'Illusion comique* participe, comme on sait, du théâtre dans le théâtre : de la scène 2 de l'acte II jusqu'à la scène 5 de l'acte V, à l'exception de courts intermèdes où Pridamant et Alcandre commentent l'action. Le procédé métathéâtral a pour conséquence d'ajouter un troisième niveau à ce qu'on nomme d'ordinaire la « double énonciation ». En effet, les propos des personnages visent, dans *L'Illusion comique*, trois ordres de destinataires : 1. les autres protagonistes de la scène ; 2. les spectateurs fictifs que sont Alcandre et Pridamant ; 3. le public réel. L'intérêt de multiplier ainsi les ordres de destinataires tient à ce que tous n'ont pas, selon leur situation, la même compréhension du drame. Par exemple, à la scène 4 de l'acte II, les deux ordres de public se rendent compte de l'ironie des propos d'Isabelle, tandis que le protagoniste Matamore en est dupe. Ce décalage a un effet comique. De même, les réactions à l'embuscade qui conclut l'acte III peuvent être très diverses : les assaillants, de même qu'Alcandre, savaient ; certains spectateurs s'en doutaient ; les victimes, ainsi que Pridamant, ne s'y attendaient pas. La « triple énonciation » permet donc des jeux de réception plus subtils : elle modifie le spectacle en tant que tel, c'est-à-dire qu'elle multiplie les diverses attitudes possibles du public devant la pièce.

Cependant, la mise en abyme cornélienne diffère de ses contemporaines en ceci qu'elle ne dit pas son nom avant la fin de l'acte V, mais porte jusqu'alors le masque de la métaphore « magique ». Corneille a donc raffiné le dispositif baroque du métathéâtre (pièce de théâtre où des comédiens jouent le rôle de comédiens) en suggérant, pour les sagaces, le métier des héros, sans l'expliciter avant l'acte V scène 6. Pridamant assiste aux aventures de Clindor comme s'il était au théâtre : il le voit et l'entend, sans en être entendu ni vu. Toutefois, même si le spectacle lui plaît (ou l'effraye), il ne s'avise pas qu'il est dans une situation théâtrale, tandis qu'Alcandre, au contraire, le sait très bien, et que le public réel peut également s'en faire la réflexion. Aussi le métier de Clindor, révélé à l'acte V, scène 6, suscite-t-il son indignation : « Mon fils comédien ! » Mais il est trop tard : celui que choque le théâtre fait déjà partie du public. Alcandre l'a placé dans une situation théâtrale sans le lui dire afin que, converti malgré lui après deux heures de spectacle, il admette les mérites du métier. Le métathéâtre n'est donc évident, pour Pridamant, qu'à la toute fin de la pièce ; de même pour le public distrait, ou profane comme lui. Pour eux, alors, tout s'éclaire brutalement. Dans son *Examen* de 1660, Corneille a bien dit, d'ailleurs, qu'il prétendait « abuser le père de Clindor », et non tant le public averti que les allusions métathéâtrales ont eu tôt fait d'alerter, d'autant plus que la pratique en était fort courante à l'époque. Pour le spectateur compétent, il est vite évident que l'obscurité de la grotte, le rideau (acte I, scène 2), les costumes magnifiques, les pseudonymes (la Montagne), le silence demandé (v. 220) sont des redondances troublantes de l'espace théâtral.

Si *L'Illusion comique* possède donc un « sens » – et la question, en contexte baroque, mérite d'être soulevée – il est à chercher du côté de cette mise en abyme, où le théâtre, en apparence, a la vanité de se célébrer lui-même, parce qu'il est en fait acculé à cette légitime défense. Il ne faut jamais oublier qu'un anathème chrétien pèse sur cet art, et que le XVIIe siècle le rappellera régulièrement. Après Platon, les Pères de l'Église ont souvent condamné le théâtre, forme d'art païen. « Invention diabolique », dit Tertullien. Saint Augustin lui-même juge le spectacle dangereux pour la vie chrétienne : à sa suite, les jansénistes adopteront la même position. Si sous le ministère de Richelieu, le théâtre semble triompher, il connaîtra plus tard dans le siècle certains revers, en particulier à cause de l'influence du parti « dévot » à la cour de Louis XIV. Dans cette optique, on peut voir en Pridamant l'objet d'un « sacrifice » tragi-comique, dans lequel, pour le salut du théâtre, on met à mort les « préjugés » – autre forme d'illusion ? – du christianisme rigoureux. D'où l'importance d'une fin morale : le théâtre doit réconcilier le spectateur avec la vie, non l'en détourner.

Correspondances

- Rotrou, *Le Véritable Saint Genest.*
- Shakespeare, *Hamlet,* acte III, scène 2.
- Pirandello, *Six personnages en quête d'auteur.*

1

• Un dramaturge français, Jean de Rotrou, a mis en scène, dans *Le Véritable Saint Genest* (1645), la légende de ce saint qui, comédien de son métier, se convertit au christianisme après avoir joué le rôle d'un martyr chrétien ! Sujet éminemment baroque, que ce chassé-croisé du théâtre et de la réalité, et dont voici un épisode crucial : Genest (qui incarnait sur scène Adrian) ose annoncer sa conversion à l'empereur Dioclétian, ennemi des chrétiens.

Genest. — Dedans cette action, où le Ciel s'intéresse,
Un Ange tient la pièce, un Ange me redresse :
Un Ange par son ordre a comblé mes souhaits,
Et de l'eau du baptême effacé mes forfaits.
Ce monde périssable et sa gloire frivole
Est une comédie où j'ignorais mon rôle ;
J'ignorais de quel feu mon cœur devait brûler,
Le Démon me dictait quand Dieu voulait parler ;
Mais depuis que le soin d'un esprit angélique
Me conduit, me redresse et m'apprend ma réplique,

J'ai corrigé mon rôle, et le Démon confus,
M'en voyant mieux instruit, ne m'en suggère plus ;
J'ai pleuré mes péchés, le Ciel a vu mes larmes,
Dedans cette action, il a trouvé des charmes,
M'a départi sa grâce, est mon approbateur,
Me propose des prix, et m'a fait son acteur.
Lentule. — Quoiqu'il manque au sujet, jamais il ne hésite.
Genest. Dieu m'apprend sur-le-champ ce que je vous récite ;
Et vous m'entendez mal, si dans cette action
Mon rôle passe encor pour une fiction.
Dioclétian. — Votre désordre enfin force ma patience ;
Songez-vous que ce jeu se passe en ma présence ?
Et puis-je rien comprendre au trouble où je vous vois ?
Genest. — Excusez-les, Seigneur, la faute en est à moi,
Mais mon salut dépend de cet illustre crime ;
Ce n'est plus Adrian, c'est Genest qui s'exprime ;
Ce jeu n'est plus un jeu, mais une vérité
Où par mon action je suis représenté,
Où moi-même l'objet et l'acteur de moi-même,
Purgé de mes forfaits par l'eau du saint baptême,
Qu'une céleste main m'a daigné conférer,
Je professe une loi que je dois déclarer.

Rotrou, *Le Véritable Saint Genest*,
acte IV, scène 7.

Le romanesque

Tant par le goût baroque pour l'emphase que par le parti pris métathéâtral, *L'Illusion comique* apparaît comme un chef-d'œuvre verbal. C'est encore un trait de l'esthétique baroque : « *Words, words, words* », dit la célèbre réplique d'Hamlet. Mais Corneille n'entend pas se payer de mots, et c'est pourquoi il tempère l'outrance verbale par une débauche d'action. Telle est l'essence du « romanesque » dans la pièce, et sa nécessité.

Le détour par le texte narratif est fréquent chez les auteurs dramatiques : Racine ne trouve-t-il pas des sujets en lisant

Tacite ou Suétone ? Si à la tragédie correspond l'histoire romaine, c'est au roman que puise pour sa part la tragicomédie. Corneille n'échappe pas à la règle, et la mention que fait Alcandre (acte I, scène 3) des quatre auteurs ou héros picaresques alors en vogue atteste d'emblée de la dimension romanesque de la pièce. On sait qu'il fait partie du goût tragi-comique de multiplier les allusions à d'autres formes théâtrales (farce, tragédie...) : il faut encore dire, pour Corneille, qu'il semble avoir voulu mettre dans son œuvre *toute la littérature*. Aspect fondamental de sa démesure, et qui aboutit au « monstre » qu'est *L'Illusion*.

Quels sont donc les éléments romanesques empruntés par la pièce ? De façon générale, on peut dire que le « roman » couvre les actes II, III et IV, encore que de semblables procédés se rencontrent aux deux autres. Dès le début, on l'a dit, allusion au roman picaresque espagnol, qui se poursuit en filigrane tout au long de l'intrigue. Au-delà des métiers peu reluisants exercés par Clindor, ce sont en effet les épreuves picaresques qui s'accumulent et auxquelles tous les personnages contribuent : meurtre, prison, vol, désobéissance, évasion, enlèvement... Le destin de Clindor, d'Isabelle, du geôlier et de Lise est singulièrement marqué de taches variées qui nuiraient à leur « héroïsme » si ces licences n'entraient pas dans le code romanesque le plus convenu à l'époque. En outre, leur vif enchaînement, leur issue « honnête » (mariage annoncé des deux couples) et l'acharnement de leurs ennemis rendent un peu plus acceptables ces transgressions.

Cependant, par-delà les aventures des personnages centraux, il y a tout un espace où le romanesque agit, par action ou par intention. Au roman pastoral, Corneille prend la figure d'Alcandre, mage bienveillant et réconciliateur. Au roman héroïque, à l'origine de la comédie « de cape et d'épée », sont dues les deux scènes d'embuscade (acte III, scène 11 et acte V, scène 5). Dans cette dernière encore, le meurtre et l'enlèvement sont au rendez-vous. Le suicide n'est pas en reste : on y a fréquemment recours, du moins en imagination, comme le montrent les exemples d'Isabelle (vers 1014, puis vers 1561-1562) et de Pridamant (vers 1740). Là, c'est la tonalité tragique qui rencontre un motif romanesque assez universel, puisqu'il appartient également au langage pastoral (dans *L'Astrée* d'Honoré d'Urfé, Céladon tente de se noyer). Enfin, le romanesque insuffle au déroulement de l'intrigue un rythme particulier, fait de vivacité et de surprise. Dans les scènes d'action précipitée (par exemple, tous les préparatifs de l'évasion, à l'acte IV), la parole s'accélère, évitant les tirades, multipliant les stichomythies. Dans cette atmosphère d'urgence et de danger, on ne sait jamais si ce qu'on dit ne sera pas surpris : c'est que des oreilles espionnes traquent sans répit les bouches véridiques. Ainsi, à l'acte III, scène 8, Matamore écoute aux portes et découvre les amours d'Isabelle et de Clindor. Retour du procédé à l'acte IV, scène 4 : Matamore, resurgi du néant, avoue qu'il était caché au grenier. De façon générale, l'entrée et la sortie des personnages sont traitées avec une liberté que l'esthétique classique restreindra plus tard : ici, nul besoin de transition, et la scène est un moulin où l'on ne sait jamais qui peut se présenter, ni qui s'en va. Jointe à la rapidité d'action, la surprise se révèle un agent dramatique remarquable. Corneille va jusqu'à ménager de faux effets de surprise, inutiles à l'intrigue mais qui brouillent encore la confiance que peut avoir le public en ce qu'il voit. Par exemple, le geôlier libère Clindor, à l'acte IV, scène 8, mais lui fait croire qu'il l'emmène au supplice. Tous les spectateurs (y compris Pridamant) savent alors que c'est faux, mais la surprise de Clindor est un spectacle en elle-même, et Corneille, illusionniste baroque, refuse de s'en priver. C'est du reste son originalité principale que d'avoir mêlé, au canevas somme toute conventionnel des coups de théâtre tragi-comiques, des moments d'illusoire danger et de fausse surprise, qui donnent à la pièce son entrain ambigu – qualité faisant souvent défaut chez ses prédécesseurs, qui n'hésitent pourtant pas à amasser les invraisemblances les plus romanesques.

Les différentes éditions du texte

Le texte ici présenté et étudié correspond à la version originelle de *L'Illusion comique*. Cependant, il faut savoir que Corneille, de son vivant, a fréquemment réédité son œuvre et qu'il l'a, de façon générale, corrigée et adaptée au fil des années. C'est ainsi que douze états différents de la pièce se sont succédé entre 1639 et 1682, l'auteur n'hésitant pas, pour chaque nouvelle édition, à modifier certains vers, voire des scènes entières. La plupart des corrections apportées à partir de 1644 – date de la seconde édition de *L'Illusion comique* – altèrent somme toute assez peu le texte de départ. Toutefois, l'édition de 1660 (septième publication des « œuvres complètes » de Corneille) opère des transformations notables qu'il peut être intéressant de signaler.

En premier lieu, Corneille change le titre de la pièce, qui ne s'appellera plus désormais que *L'Illusion*. En outre, il modifie sensiblement l'acte V, en supprimant le personnage de Rosine (Clindor reste amoureux d'elle, mais elle ne paraît plus sur la scène). De ce fait, la scène 4 est également supprimée, et le dénouement intervient plus vite : Clindor est tué par Éraste, et Isabelle, au lieu d'être enlevée, se meurt sur scène.

Par ailleurs, d'impitoyables corrections changent l'aspect d'un grand nombre de vers, tout au long de la pièce, ce qui était déjà le cas dans les éditions de 1644 et 1655, par exemple. En général, Corneille cherche à adapter sa comédie au goût du jour. C'est ainsi qu'il traque les archaïsmes, les répétitions, les ambiguïtés. Au tout début de la pièce, il change ainsi le vers 1 :

> Ce grand mage dont l'art commande à la nature

en :

> Ce mage, qui d'un mot renverse la nature

Une telle transformation présente l'intérêt d'éviter la répétition du mot « art », déjà employé au vers 7 ; de plus, le verbe « renverser », plus frappant que « commander », oriente d'emblée le spectateur sur la piste du « monde renversé » de la magie et du théâtre.
Au vers 39, Corneille remplace « fin » par « borne », ce qui a le mérite de dissiper toute équivoque (« fin » pouvant signifier aussi « but »).
Parfois enfin, les modifications sont liées au contexte idéologique, en particulier lorsqu'elles touchent à la notion classique de « bienséance ». Ainsi, le vers 965 :

> Commandez que sa foi soit d'un baiser suivie

s'est trouvé réécrit de la façon suivante :

> Commandez que sa foi de quelque effet suivie…

Cette correction, prude sans doute, a néanmoins le mérite de supprimer la cacophonie initiale (« foi soit »), mais, en contrepartie, elle produit une phrase inachevée qui n'a rien ici d'une aposiopèse, et sonne assez mal.
Se conformant toujours au goût classique, l'auteur cherche à raccourcir les monologues, que le public baroque préférait longs : il ampute ainsi le monologue d'Isabelle (acte IV, scène 1) des vers 995 à 1010.
Un dernier type de remaniement auquel se consacre Corneille est l'introduction de nouvelles didascalies, qui permettent de mieux éclairer la façon dont il entend que *L'Illusion comique* soit jouée. Ce souci est mieux partagé après 1660, il est vrai, mais c'est aussi l'indice que les possibilités techniques se trouvent alors accrues.
Toutes ces modifications témoignent du plus grand soin qu'avait Corneille de l'avis du public, notamment docte, qui jugeait que son théâtre, sous Louis XIV, avait vieilli. Dans le cas de *L'Illusion comique*, cependant, cette autocensure va dans le sens du classicisme, et compromet, par conséquent, les qualités intrinsèques de cette grande œuvre baroque.

Les mises en scène à travers le temps

Jouée pour la première fois en 1635, *L'Illusion comique* a été représentée en continu pendant trois ans par le théâtre du Marais. Cependant, Corneille signale, dans son « Examen », que la pièce était encore jouée en 1660. Ce qui est certain, c'est qu'elle disparut du répertoire après sa mort, l'âge classique la trouvant trop extravagante, suivi dans ce jugement par tout le XVIIIe siècle. Voltaire, en particulier, a eu des mots cinglants envers Corneille, le trouvant souvent de « mauvais goût » : toute son époque, qui appréciait pourtant les tragédies du dramaturge, se retrouvait unanimement pour condamner – ou ignorer – une pièce telle que *L'Illusion*.

Par ailleurs, et contrairement à d'autres pièces comme *Le Cid*, on ne possède pas de trace certaine de traduction ou de représentation de *L'Illusion comique* en pays étranger, pas même en Angleterre. Il faut attendre, en réalité, le XIXe siècle pour que le chef-d'œuvre du baroque français sorte de l'ombre, sous l'influence de l'école romantique. Bien que Corneille soit régulièrement joué à la Comédie-Française (même s'il l'est bien moins que Molière ou Racine), ce sont ses tragédies qu'on privilégie. C'est en 1861 seulement que la Comédie-Française inscrit la pièce à son répertoire, mais on est très loin alors du texte de 1639 : la mise en scène a presque tout changé à l'acte IV, lui substituant même un passage de *Don Sanche d'Aragon*... Malgré tout, le public est sensible à l'esthétique de la pièce : Théophile Gautier est même enthousiaste, et se souviendra de Matamore dans son roman de 1863, *Le Capitaine Fracasse*.

La pièce est reprise à la Comédie-Française en 1862, 1869 et 1906 ; à l'Odéon, Antoine la met en scène en 1895. C'est Jouvet qui, en 1937, monte pour la première fois une *Illusion comique* de goût baroque qui ralliera de grands suffrages (dont celui de Brasillach, auteur l'année suivante d'une monographie sur Corneille). Cependant, Jouvet a interprété librement l'acte V, en faisant d'Alcandre et de Pridamant de vrais spectateurs de la tragédie en abyme, ce qui ruinait l'illusion initiale.

Jean Martinelli (Clindor) et Lise Delamare (Isabelle).
Mise en scène de Louis Jouvet.
Comédie-Française, 1937.

La redécouverte du baroque dans les années 1960, sous l'égide de critiques et de théoriciens comme Jean Rousset, a bien évidemment placé *L'Illusion comique* sous les feux de la rampe. Georges Wilson a monté la pièce au TNP en 1966. À l'étranger, on l'a jouée en Allemagne (1968) et en Belgique (1969). Dans les années 1970, ce succès ne s'est pas démenti et a donné lieu à diverses mises en scène (à Rouen, 1978, par exemple).
C'est en 1985 que *L'Illusion comique* a été rejouée, pour la première fois depuis 1635, dans sa version originale : il s'agit du spectacle mis en scène par Strehler à l'Odéon. Depuis, le texte de 1639 s'est imposé à beaucoup comme le plus authentique.

Jugements critiques

La critique littéraire contemporaine reflète encore, dans une certaine mesure, les divisions anciennes dont le goût « baroque » a fait l'objet, en France. Ainsi, même dans les études les plus sérieusement universitaires, on trouve parfois une certaine condescendance, héritée de l'âge classique, à l'endroit d'une pièce comme *L'Illusion comique*. À l'inverse, d'autres, héritiers en cela de l'esprit romantique, disent souvent avec emphase leur admiration pour cette pièce de Corneille si longtemps méprisée. C'est le cas de Robert Brasillach, qui s'exclame, enthousiasmé par le spectacle de Jouvet qu'il a vu en 1937 :

« Mais cette œuvre est d'une grâce et d'une cocasserie ravissante ! Quand on l'écoute, combien on la sent supérieure aux comédies de Shakespeare, et même aux plus célèbres ! Les vers précieux s'y mêlent à l'ironie, au charme. Les petits fantoches, parfois, montrent qu'ils ont un cœur, comme cette suivante Lyse qui semble une Hermione d'étagère. Et puis surtout, c'est l'année même du *Cid* que Pierre Corneille a inclus dans une féerie dont nous n'avons pas d'autre exemple, une espèce de parodie du *Cid*. Clindor entre Isabelle et Lyse ressemble à Rodrigue entre Chimène et l'Infante, et ses plaintes dans la prison sont les plaintes mêmes du Cid. »

Robert Brasillach, *Pierre Corneille*,
Fayard, 1938.

Beaucoup ont été frappés par le caractère isolé, et même exceptionnel, de *L'Illusion comique* dans l'œuvre dramatique de Corneille, et ont cherché à l'expliquer de diverses manières. Ainsi Octave Nadal remarque-t-il que la pièce se situe à un moment crucial de la carrière de l'auteur, le moment où il passe de la comédie, qu'il pratiquait jusque-là, à la tragédie, où il excellera davantage :

« Corneille est encore timide et hésitant ; ses premières œuvres comiques s'achèvent sur une interrogation ; avant la tragédie du *Cid*, *L'Illusion comique* est cette ultime interrogation. Une sorte d'angoisse donne à cette pièce des couleurs et des éclats de fête foraine, projette sur l'écran de la grotte magique une humanité de songe, des attitudes et des voix de marionnettes curieusement déformées. [...] *L'Illusion comique* serait elle la préface à toute l'œuvre, une de ces révélations qui éclairent la singularité de la morale politique et du tragique cornélien ? Car enfin Matamore c'est Rodrigue ou Horace sans les actes. »

Octave Nadal,
Le Sentiment de l'amour dans l'œuvre de Pierre Corneille,
Gallimard, 1948.

Bernard Dort, au contraire, cherche dans *L'Illusion comique* ce qui peut la rapprocher du reste de l'œuvre. C'est à ce critique marxiste que l'on doit, en outre, d'avoir mis au jour l'importance de l'argent (l'aspect économique du théâtre) dans la pièce :

« Tous les thèmes de Corneille sont là. Tous ceux du héros cornélien : honneur, courage, gloire, sang et rang, exposés et en même temps dénoncés. Car Corneille nous les donne cette fois pour une illusion, pour un théâtre, les ramenant ainsi au rang d'artifices, à l'emploi de défroques de comédie. Voici le monde converti en un jeu de paraître, et dévoilé comme tel : le monde de Corneille (ou d'Alidor). Reste une réalité : cette réalité bourgeoise de la possession, cet argent que les faux morts, que ces comédiens se partagent à la fin de *L'Illusion*. Rien ne s'est donc passé. Rien que le gain d'un peu d'argent. Ainsi, plus qu'une comédie shakespearienne à quoi on l'a souvent comparée, *L'Illusion comique* nous apparaît comme un témoignage de la situation même de Corneille. Comme une interrogation de Corneille à soi-même : ce héros ébloui qui se veut éblouissant, ce jeu de l'être et du paraître… bref, ce monde aristocratique rêvé par un bourgeois n'est-il pas justement qu'un rêve, un pur produit de théâtre ? »

Bernard Dort,
Pierre Corneille dramaturge, L'Arche, 1957.

D'autres ne prêtent pas tant de profondeur à la pièce, et y voient d'abord une œuvre de circonstance et de pur divertissement, rejoignant ainsi les anathèmes classiques. C'est en particulier le cas de Jacques Maurens, dans sa thèse célèbre et controversée :

« Quant à la signification de *L'Illusion comique*, elle ne va guère au-delà du désir de plaire au Cardinal par une apologie, particulièrement opportune, du théâtre et […] par un éloge, tout aussi nécessaire en cette année de guerre, des buts de sa politique. […] Une œuvre de récapitulation et d'attente, telle est bien l'impression quand on examine, dans le détail, les trois actes de comédie. Clindor entre Isabelle et Lyse, Isabelle entre Clindor et Adraste, Géronte, le père, qui parle raison, le complot des jaloux : ce sont les situations et les figures si souvent reprises depuis *Mélite*. »

Jacques Maurens,
La Tragédie sans tragique, Colin, 1966.

Plus objective sans doute, quoique reposant sur des clés de lecture peu littéraires, la critique d'inspiration psychanalytique s'est intéressée à *L'Illusion comique*, et en particulier aux relations de Pridamant et Clindor. Comme la critique marxiste, elle ressuscite, sans forcément le vouloir, l'imagerie traditionnelle d'un Corneille « arriviste » :

« La comédie, image du monde renversé, crée le renversement de l'Œdipe : le père – et Matamore aussi – est mis dans une situation de passivité et de dépendance où se trouve originellement le fils. Le père est traité comme un enfant. Il est contraint à avouer ses fautes ;

séparé de son fils, il doit expier sa dureté par son état d'abandon et il a besoin d'une bonne leçon, qui lui est administrée par le magicien, autre représentant de l'instance paternelle.
Dans l'opposition entre père et fils, c'est le fils qui a le beau rôle, à tous les sens du terme. Il contraint le père au remords au début et finalement à l'admiration, à la conversion. »

Han Verhoeff,
Les Comédies de Corneille, une psycholecture,
Klincksieck, 1979.

Bien différent des autres par son étude rigoureuse des implications purement littéraires de la pièce, le point de vue de l'universitaire Marc Fumaroli tente de mettre un point final au débat « baroque »/« classique » en révélant le dispositif retors par lequel Corneille détourne les « règles » tout en les appliquant paradoxalement :

« Une conclusion semble s'imposer : l'unité profonde de *L'Illusion comique* – chacune des facettes de ce château des miroirs renvoyant à ce point focal unique et central, l'esprit souverain d'Alcandre qui a organisé ce piège pour y prendre Pridamant et le conduire au bonheur en compagnie de son fils. Unité de lieu, de temps et d'action, dans la mesure où l'on considère les "fragments dramatiques" comme les éléments d'une unique plaidoirie se déployant librement avec toutes les ressources de l'art. [...]
Dans *L'Illusion comique*, la violence faite aux règles est elle-même une illusion d'optique. »

Marc Fumaroli,
Héros et orateurs, rhétorique et dramaturgie, Droz, 1990.

OUTILS DE LECTURE

Lexique

Accumulation
Rhét. Énumération, liste de mots.

Action
Ce qui se passe sur scène, l'intrigue représentée.

Adjuvant
Personnage dont le rôle dans l'action est d'aider le héros à atteindre son but.

Alexandrin
Vers de douze syllabes.

Anamnèse
Rhét. Énoncé qui fait mémoire d'un événement passé.

Anaphore
Rhét. Répétition d'un même mot au début de plusieurs vers.

Antinomie
Contradiction entre deux termes, deux idées.

Antiphrase
Procédé consistant à appeler une chose par le nom de son contraire.

Antithèse
Emploi dans le même vers ou la même réplique de mots contraires.

Apologie
Discours qui défend une pratique donnée.

Apostrophe
Fait de s'adresser à quelqu'un en l'appelant pour attirer son attention.

Baroque
(étymologiquement, « perle irrégulière ») Mouvement général des arts en Europe au début du XVIIe siècle, plus tard opposé au « classicisme ».

Burlesque
Forme de comique qui consiste à prêter à des personnages bas, à des aventures triviales, une expression noble, héroïque, tragique ou sublime.

Cape et d'épée (pièce de)
Genre de pièce de théâtre, d'origine espagnole, à la mode au XVIIe siècle, représentant des aventures héroïques, des duels, des poursuites.

Capitan
Équivalent de Matamore dans la commedia dell'arte ; type du soldat fanfaron.

Commedia dell'arte
Type de comédie populaire italienne, qui présente des personnages typiques, des situations

bouffonnes, et qui fut introduit en France et très apprécié au XVIIe siècle.

Cornélien
(de Corneille) Se dit, par exemple, d'une situation qui comporte un dilemme insoluble.

Coup de théâtre
Péripétie très inattendue, notamment en fin d'acte.

Distanciation
Procédé dramaturgique inventé par Brecht, et qui consiste à rappeler sans cesse au public, pendant le spectacle, qu'il assiste à une pièce de théâtre, et non à la vie.

Double énonciation
Statut particulier de l'énonciation théâtrale qui tient à ce que les personnages s'adressent toujours, sur scène, à deux types de destinataires : les autres personnages et le public.

Dramatique
Qui concerne le drame, c'est-à-dire l'intrigue.

Dramaturgie
Art de composer une pièce de théâtre.

Dramaturgique
Qui concerne la façon dont l'intrigue est menée dans une pièce de théâtre.

Ellipse
Se dit quand, entre deux scènes, il se passe un certain laps de temps que la narration ne conte pas.

Emphase
Expression forte, voire exagérée.

Emploi
Genre de rôles qu'on confie souvent à un comédien donné.

Exposition
Début d'une pièce de théâtre, censé donner au public tous les éléments nécessaires à la compréhension de l'intrigue (noms des personnages ; statuts, relations ; événements antérieurs).

Farce
Genre mineur, reposant généralement sur un comique assez grossier (scènes de bastonnades, injures).

Galanterie
Tendance littéraire du XVIIe siècle, caractérisée par la recherche de l'élégance verbale, le raffinement des mœurs et une place prépondérante accordée à l'amour.

Glose
Commentaires intercalés dans un texte.

Grotesque
Genre de comique reposant sur le monstrueux, le difforme.

Hémistiche
Dans un alexandrin, pause marquée après la sixième syllabe, c'est-à-dire au milieu du vers.

Hyperbole
Exagération rhétorique.

Hypotypose
Rhét. Description vivante au point de vraiment « faire voir » ce dont elle parle.

Intrigue
Au théâtre, l'histoire racontée, la diégèse.

Ironie
Attitude qui consiste à montrer (plus ou moins discrètement) qu'on ne pense pas ce qu'on dit. L'ironie suppose un complice (conscient de l'antiphrase) et une victime (dupe de l'antiphrase).

Irrégulier
(XVIIe siècle) Qui ne suit pas les règles de la dramaturgie.

Logorrhée
Flot de paroles.

Métathéâtre
Théâtre dans le théâtre ; allusion, dans une pièce de théâtre, faite à l'activité théâtrale elle-même.

Mise en abyme
cf. métathéâtre

Parallélisme
Rhét. Répétition dans un ou plusieurs vers d'une même structure syntaxique, d'une même tournure.

Pastorale
Courant littéraire du début du XVIIe siècle, couvrant différents genres (roman, théâtre), et caractérisé par l'emploi du merveilleux, des personnages typés (bergers, magiciens…) et des préoccupations galantes.

Péripétie
Événement qui modifie l'intrigue à un moment donné.

Picaresque
Genre de romans espagnols, dont les héros mènent une existence aventurière et précaire, fréquentent les milieux les plus divers, exercent tous les métiers, voyagent : le roman picaresque permet une description globale et réaliste de la société.

Règles
Règles de la dramaturgie qui, à l'époque classique, sont un critère d'appréciation des pièces. On distingue en particulier la règle des *trois unités* (unité de temps, de lieu, d'action) ; la *bienséance* ; la *vraisemblance*.

Réplique
Paroles prononcées par un personnage et qui forment un tout.

Rime interne
Répétition du son de la rime à l'hémistiche.

Romanesque
Qui paraît emprunté aux romans d'aventures.

Stichomythie
Réplique qui ne couvre qu'un seul vers.

Tirade
Longue réplique.

Tragi-comédie
Genre dramatique dominant au début du XVIIe siècle, sorte d'intermédiaire entre la tragédie et la comédie, caractérisé par une grande variété de styles et de tons, une intrigue très complexe, des péripéties romanesques, des personnages venus d'horizons littéraires variés.

Trois unités (règle des)
L'action de la pièce doit se dérouler en un lieu unique (unité de lieu), en vingt-quatre heures au plus (unité de temps). Elle ne doit pas comporter d'intrigues étrangères (unité d'action).

Vraisemblance
Règle du théâtre classique, héritée d'Aristote, qui proscrit les changements de fortune trop brusques et trop nombreux, les dénouements incroyables, les personnages improbables, les écarts entre style et condition.

BIBLIOGRAPHIE

Le texte

• Corneille, *Œuvres complètes*, Gallimard, coll. « Bibliothèque de la Pléiade », tome I, 1980.

• Corneille, *L'Illusion comique* (texte de 1639), Société des textes français modernes, 1957.

• Corneille, *Œuvres complètes*, Seuil, coll. « L'Intégrale », 1963.

Ouvrages généraux

• Antoine Adam, *L'Âge classique I, 1624-1660*, t. 6 de la collection « Littérature française », Arthaud, 1968.

• Georges Forestier, *Le Théâtre dans le théâtre sur la scène française du XVIIe siècle*, Droz, 1981.

• Octave Nadal, *Le Sentiment de l'amour dans l'œuvre de Pierre Corneille*, Gallimard, 1948.

• Jean Rousset, *La Littérature de l'âge baroque en France*, José Corti, 1955.

• Jacques Scherer, *La Dramaturgie classique en France*, Nizet, 1950.

Sur Corneille

• Georges Couton, *Corneille*, Hatier, 1958.

• Bernard Dort, *Pierre Corneille dramaturge*, L'Arche, 1957.

• Marc Fumaroli, *Héros et orateurs, rhétorique et dramaturgie*, Droz, 1990.

• Jacques Maurens, *La Tragédie sans tragique*, Colin, 1966.

• Germain Poirier, *Corneille et la vertu de prudence*, Droz, 1984.

• Han Verhoeff, *Les Comédies de Corneille, une psycholecture*, Klincksieck, 1979.

Sur *L'Illusion comique*

• Georges Forestier, « Illusion comique et illusion mimétique », *Papers on French Seventeenth Century Literature*, XI, 21, 1984, p. 337 à 391.

• Marc Fumaroli, « Rhétorique et dramaturgie dans *L'Illusion comique* », XVIIe *siècle*, n° 80-81, 1968.

• Annie Richard, *L'Illusion comique de Corneille et le Baroque*, Hatier, 1972.

CRÉDIT PHOTO : p. 7 Ph.© Bernand • p. 30 et reprise page 8 Ph.© Giraudon/T • p. 51 Ph.© J.L.Charmet/T • p. 66 Ph.© Bernand/T • p. 74 Ph.© Bernand/T • p. 121 Ph.© Bernand/T • p. 128 Ph.© Bernand/T • p. 143 Ph.© Bernand/T • p. 153 Ph.© Roger Viollet/Coll.Viollet/T • p. 165 Ph.© Babey/Artephot • p. 181 Ph.© Lipnitzki/Roger Viollet

Direction de la collection : Chantal LAMBRECHTS.
Direction artistique : Emmanuelle BRAINE-BONNAIRE.
Responsable de fabrication : Jean-Philippe DORE.

Compogravure : P.P.C. - Impression MAME n° 04062120. Dépôt légal 1re édition : septembre 1999.
Dépôt légal : Juillet 2004. N° de projet : 10116400. Imprimé en France (*Printed in France*)